애틋한 그리움을 노래한

漢詩 사랑♥이야기

애틋한 그리움을 노래한

漢詩 사랑♥이야기

초판 1쇄 인쇄 2015년 11월 11일
초판 1쇄 발행 2015년 11월 18일

지은이 오석환(초운)
펴낸이 김기호
디자인 이윤지
일러스트 김민세
마케팅 SHOW DOCTOR

펴낸곳 한가람서원
출판등록 1994년 11월 21일 제2-1863호
주소 서울시 중구 마른내로 72 신성빌딩 504호
전화 02-336-5695   팩스 02-336-5629
E-mail bookmake@naver.com

정가 14,000원
ISBN 978-89-90356-35-2

이 도서의 국립중앙도서관 출판시도서목록(CIP)은 서지정보유통지원시스템 홈페이지
(http://seoji.nl.go.kr)와 국가자료공동목록시스템(http://www.nl.go.kr/kolisnet)에서
이용하실 수 있습니다.(CIP제어번호: CIP2015030561)

애틋한 그리움을 노래한

漢詩 사랑 이야기

초운 오석환 평설

한가람서원

일러두기

- 한시를 계절별로 정리했다.
- 풀이가 필요한 시어는 따로 어휘를 풀어 설명했다.
- 한시의 원문 아래 한글독음을 달았다.
- 한시의 해석은 직역을 우선하고 가능한 문학성을 살렸다.
- 작가 이름 아래 원제목과 풀이 제목을 달고, 시 제목은 내용에 맞춰 따로 달았다.

한시, 그 맑음에 물들어가다

시는 짓는 것보다 해석하는 것이 어렵고, 해석하는 것보다 감상하는 것이 어렵다고 한다. 현대를 거스르는 것 같기는 하지만, 한시를 지어보고 한시 지은 것을 심사하기도 하였다. 우리말과 모든 것이 다른 한자를 가지고 압운押韻과 평측平仄을 맞추고 대우對偶까지 맞추는 것은 결코 쉬운 일이 아니다. 또한 일삼오불론一三五不論은 그렇다 하더라도 이사부동二四不同과 이륙대二六對까지 맞추어야 하는 엄격한 규칙을 지키려면 번거로움을 피할 수가 없게 된다.

그러나 문학에서 가장 중요한 것은 바로 문학성이다.

시어와 구절 속에 문학성을 가미하는 것은 용을 다 그리고 눈동자에 점을 찍는 것처럼 작품에 생명력을 불어넣는 일이다. 또한 짧은 한 편의 시에 자기가 하고 싶은 말을 모두 담아내는 작업은 심혈을 마르게 한다.

시는 음악이고 노래라고도 한다. 그 때문에 반드시 작품에서 운율과 예술성이 느껴져야만 좋은 작품이라 말할 수 있다.

인간이 세상에 존재하면서부터 시가 존재했다고 한다. 이후, 점점 문학성과 예술성이 가미되면서 규격화되고 짓는 법과 규칙이 늘어나게 되었다고 한다. 사실은 과거제도와도 깊은 관련이 있을 것이라는 생각이 들기도 한다. 뛰어난 합격자를 가리기 위하여 많은 규제를 만들게 되었을 것이다. 이러한 규제가 있기 전에 자유롭게 지어진 시들을 고체시古體詩라 부르고, 엄격한 규칙을 지켜서 지어진 시를 근체시近體詩라고 부른다. 우리가 흔히 한시라고 부르는 것은 근체시를 말하는 것이다.

한시는 이름 그대로 율시律詩를 가장 기본으로 한다. 율시는 8구로 된 시이다. 한시에서 한 글자를 언글이라 부르니, 1구가 5자로 된 시를 오언시五言詩라 부르고 7자로 된 시를 칠언시七言詩라고 부른다. 한 줄을 구句라고 부르며, 율시에서는 2구를 합해 일련一聯이라 부르고 위에서부터 수련首聯, 함련頷聯, 경련頸聯, 미련尾聯이라고 부른다. 여기에서 수련과 미련은 산구散句라고 부르며 대우對偶를 맞추지 않고 함련과 경련은 반드시 대우를 맞추어야 한다. 대우는 마주하는 구절을 서로 짝을 맞추는 것이니 문형이 같아야 하며, 평측에서는 서로 반대가 되어야 하고 뜻에서는 아주 비슷하거나 상대가 되는 것을 말한다.

절구絕句는 율시를 반으로 쪼갠 시이니, 쪼개는 방법에 따라 1~2구에 대우를 맞추거나 3~4구에 대우를 맞추기도 하며, 전혀 대우를 맞추지 않아도 되는 비교적 대우에서 자유로운 시이다.

압운押韻은 운을 눌러놓는 것인데 짝수 구의 끝에 운을 맞추는 것이다. 한자의 운은 한자의 고대 독음에서 성운聲韻 부분을 맞추는 것이다. 우리말에서는 대략 중성과 종성에 해당한다. 오언시는 짝수 구만 맞추면 되지만, 칠언시는 첫째 구의 끝에도 운을 맞추어야 한다.

평측平仄은 한자의 고대 독음에서 낮고 평탄한 평성平聲의 평과 높고 기울어진 상성上聲, 거성去聲, 입성入聲의 측을 말하는 것이다. 낮고 평탄한 소리와 높고 기울어진 소리를 적절히 배치하여 시의 운율을 살리는 것이다. 그래서 고대 성조聲調에 맞추어 한시를 읽으면 한 곡의 노래가 된다고도 말하는 것이다.

어느 저녁에 한시를 외우면서 이런저런 환담을 나누다 보면 스스로 옛날 선비가 된듯한 기분을 느끼는 것도 괜찮을 듯싶다.

저자는 대학에서 한문 교육학을 전공하였다. 대학을 졸업하면서부터는 서울시 중등교사 임용고사에 합격하여 서울시 소재의 중고등학교에서 13여 년을 근무하면서 한문 교과를 가르쳤다.

이후, 교사를 그만두고 원래 뜻하였던 대학 강단에 발을 들여놓았다. 타고난 감성도 있었겠지만, 대학원에서 한문학을 전공하면서부터는 문학에 침잠하게 되었고, 특히 한문학의 꽃이라고 불리는 한시에 깊은 관심을 두게 되었다.

현대에 들어와 인문학이 침체되면서 한문학은 물론, 한자와 한문에 대한 관심이 점점 사라져 가게 되었다. 안타깝게 생각하던 중, 마침 대전시청에서 공무원을 상대로 강의할 기회가 생겨 어떻게 하면 한문에 대한 흥미를 줄 수 있을까 고민을 하다가, 일반인에게 가장 보편화 된 교재인《명심보감》을 주제에 따라 새로이 편집하고 해설을 붙여 '《명심보감》에서 사람의 길을 찾다'란 강좌를 개설하게 되었다. 그동안 가르치는 일만을 해온 것들을 바탕으로 재미와 감동과 내용이 있는 강의안을 만들었다. 물론 강의는 대성공이었다. 듣는 사람들의 흥미와 관심을 불러일으켰고 시간마다 기립박수를 받았으며, 아주 유익한 강의이니 반드시 다음 학기도 진행해 달라는 요청을 받게 되었다. 이후, 명심보감 강좌는 서울을 비롯하여 대전과 부산과 전주 등지에서도 진행되었다.

나는 자신감과 욕심이 생겨 '《논어》에서 착한 남자를 만나다'와 '《맹자》에서 의로운 세상을 꿈꾸다'란 강의를 개설하였으며, '《통감절요》에서 삶의 지혜를 배우다'와 '한시에서 맑음으로 물들어가다'란 강좌를 개설하여 강의를 진행하였으나, 한시 강의는 일반인들에게 어렵다는 선입견 때문인지 강력한 요청에도 불구하고 인원이 미달하여 스스로 폐강하게 되었다.

이후, 보급에 고민하다가 강의내용 중에서 고대 연인들의 사랑에 관한 한시들을 추려 스마트폰에 요약하여 올리게 되었고, 이를 책으로 엮어보자는 한가람커뮤니케이션즈의 김기호 대표의 제안을 받게 되었다. 감사한 마음을 뼈에 새기고 평생 보존하려 한다.

사실 한시에 대한 모든 출발은 영원한 스승이신 청람 김도련 선생으로부터 영향을 받은 것이다. 대학원에서 한시를 가르쳐주신 설촌 김상홍 선생께도 깊은 감사를 드리고 아울러 평생 문우가 되자던 한시인漢詩人 김득환 성균관 청년유도회 회장께도 정을 보내며, 아낌없는 응원과 박수로 힘을 보태 주신 동지들께도 예를 표한다.

　　겨우 한가로움을 깨트리는 거친 글이며 선대 시인들의 시에 담긴 깊은 의미를 이해하기에는 부족하기 이루 말할 수 없는 내용이지만, 부귀와 영화만을 중시하는 흐린 세상에서 맑음으로 물들어가는 데 조금의 도움이 되리라 여겨보며, 선각자와 후각자들의 많은 질책과 도끼질을 바란다.

고산 한문학연구소에서

초운 **오 석 환**

차례

두번째_ 바람결에 구름따라

세번째_ 강물에 마음을 띄우고

네번째_ 달을 보며 눈물 흘리네

첫 번째

하얀 그리움

봄날의 그리움

두보 杜甫, 712~770
〈절구 節句〉

강이 파라니 새가 더욱 희고
산이 푸르니 꽃이 불타고자 하네.
올 봄이 또 지나감을 보니
어느 날에나 돌아갈 해일까.

江碧鳥愈白 　 山青花欲然
강 벽 조 유 백 　 산 청 화 욕 연

今春看又過 　 何日是歸年
금 춘 간 우 과 　 하 일 시 귀 년

두보杜甫 중국 최고의 시인으로서 시성詩聖이라 불렸던 성당盛唐때의 시인
이다. 자는 자미子美이고 호는 소릉少陵이며 이백과 더불어 '이두李杜'로 불
리어졌다. 특히 '삼리삼별三吏三別'의 사회시社會詩는 유명하다.

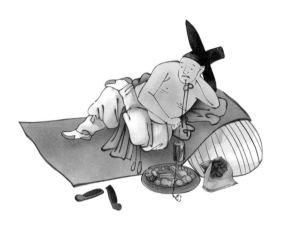

중국 최고의 시인이고

시성으로 불리어지며 사회시로 유명한

당나라 두보의 《절구絶句》이다.

절구시는 율시律詩를 절반을 쪼개어 만드니

나누는 방법에 따라 대우對偶가 있기도 하고 없기도 하여

대우에서 자유로운 시이다.

절구는 시의 형식으로 4구로 이루어진 시를 의미하니

사실 이 시는 제목이 없는 무제시이다.

아마도 사무치는 그리움에

차마 제목을 달지 못한 것이리라.

봄날의 정경이 한 폭의 그림과 같다.
파란 강물 위를 날아가는
하얀 해오라기 한 마리.
그 강물의 파란색과
해오라기의 하얀색의 조화가
오묘하다.

푸른 산에는 빨간 철쭉이
마치 산을 불태우려는 듯 피어있다.
역시 그 산의 푸름과 꽃의 빨강이
묘한 조화를 이루고 있다.

윗 시는 1구인 기구起句와
2구인 승구承句가 대우對偶가 된다.
강의 파란색과 산의 푸른색이 대비가 되고
새의 하얀색과 꽃의 빨강색이 대비가 되어,
다채로운 색의 조화를 통하여
운율이 살아나고
봄의 모습이 그림이 되고 있다.

3구인 전구轉句는

한시의 독특한 특징으로

시상이 전환되는 부분이다.

안시의 난으로 집을 떠난 지 몇 해이던가.

올봄도 또 지나가고 있는데

언제쯤 고향에 돌아갈 수 있으려나.

봄날의 경치는 이렇게 좋은데

봄의 경치가 곱고 아름다울수록

고향에 대한 그리움은 깊어만 간다.

이러한 방식을 선경후사先景後事라고 하니

두보로부터 시작되었다고 한다.

먼저 경치로 시상을 일으키는 것이니

경치가 아름답고 낭만적일수록

그리움과 이별이 사무치는 것이다.

고향을 떠난 것이 언제이던가.

어릴 때 친구들은 어디서 무엇을 할까.

더러는 죽고 더러는 소식도 모른다.

신랑각시하며 소꿉놀이를 하던 순이는

지금은 누구와 살고 있을까.

한 번쯤은 만나보고 싶고
한 번쯤은 차 한 잔 나누고 싶다.
그때 나를 사랑했었는지
그때 손가락 걸며 했던 약속은
지금도 잊지 않는지.
고향을 찾아보건만
나무와 모정은 그대로인데
낯선 아이들이
어디서 누굴 찾아 오셨느냐며 묻는다.

이별하는 날

정지상 鄭知常, ~ 1135
〈대동강에서 大同江〉

비 그친 긴 둑엔 풀빛이 수북한데
임을 보내는 남포엔 슬픈 노래 진동하네.
대동강 물은 언제나 다하려는가.
이별 눈물 해마다 푸른 물결 보태네.

雨歇長堤草色多　　送君南浦動悲歌
우 헐 장 제 초 색 다　　송 군 남 포 동 비 가

大同江水何時盡　　別淚年年添綠波
대 동 강 수 하 시 진　　별 루 연 년 첨 록 파

정지상鄭知常 고려 중기의 시인으로 호가 남호南湖이며 고려를 대표하는
시인으로 평가된다. 〈대동강〉 시는 이별시의 백미로 꼽혔으며, 중국의 3
대 시인인 왕유에 비견되어 '해동양관삼첩海東陽關三疊'으로 불렸다.

비가 그친 다음날 아침,
풀빛은 물기를 흠뻑 머금고
쑥쑥 자라 곧 꽃을 피우려하고 있다.
그 풀밭에서 손을 잡고 사랑을 나누며
영원을 맹세하고픈 그런 아침이다.
이 길을 임과 함께 걸어가고 있다.

대동강 가에서 먼 길을 떠나는
임을 전송하러 가는 길이다.
배경이 아름다울수록 이별은 더욱 슬픈 것이다.
날씨가 맑고 햇빛이 고울수록
마음은 더욱 애절해진다.

멋있는 경치를 보아도 임이 생각나고
맛있는 음식을 만나도 임이 생각이 나고
비가 내려도 임이 생각나고
하늘이 맑아도 임이 생각이 난다.

승구의 '남포南浦'는
흔히 시에서 이별하는 장소를 나타낸다.
혹 대동강 하구의 진남포로 생각하여
'남포로 임을 보내네'로 해석하는 경우가 있으나,
이는 '시를 지은 사람은 죄가 없다'란 것으로
보아야 할 것이다.

예전부터 평양은 기생으로 유명하였다고 한다.
기생학교까지 있어 춤과 노래와 악기는 물론
시와 예절을 가르쳤다고 하니

그 성대함을 짐작할 만하다.

특히 중앙에서 과거시험이 있을 때에는

전국에서 모여든 선비들이

남은 노자路資로

반드시 평양에 들러

하루 이상을 머물며,

객고客苦와 시험으로 인한

증후症候를 풀고

고향에 돌아갔다고 전한다.

평양의 기생은
춤과 노래와
거문고와 작시에도 뛰어났지만,
단 하루를 묵어도
최선을 다한 정성을 보였고
이별할 때에는
반드시 대동강 가에까지 나아가
전송을 하였다고도 한다.

이별하는 주막마다 전송하는 뱃머리마다
이별가가 울려 퍼지니,
조선 중기의 낭만시인인 임제는 '대동강 가는
이별하는 사람들로 인해 버들가지가 성한 가지가
하나도 없다'고까지 너스레를 떨었다.

대동강이 있어서 이별이 있으니
대동강 물이 없으면 이별이 없을 거란 발상은
독특하기 이루 말할 수 없다.
어떤 가수가 부른 유행가에 '바다가 육지라면
이별은 없었을 것을'이라 하였는데
이를 이른 것이다.

특히 결구結句의 이별 눈물이
푸른 물결을 보탠다는 것에서 지극해진다.

김만중의 《서포만필西浦漫筆》에 의하면,
정지상이 지은 〈대동강〉 시에는 원래 끝구가
'첨작파添作波'로 되어 있었던 것을
양재란 사람이 '창록파漲綠波'로 바꾸었는데
익재 이제현이 '첨록파添綠波'로 바꾸었다고 하였다.
'첨작파'는 '더하여 물결을 만드네.'가 되고
'창록파'는 '푸른 물결 넘쳐흐르네.'가 되니,
예전 시인들이 시어에 얼마나 신경을 썼으며
시에서 한 글자를 고르는 중요성을
다시 한 번 느낄 수가 있다.

사람이 너무 괴롭고 아프면
가슴이 파랗게 멍든다고 한다.
이렇게 멍이 든 가슴에서 솟아오른 눈물은
마땅히 파란색이지 않을까.
결구의 이별 눈물은 파란색이었을 것이고
이 눈물이 대동강 물결에 떨어져
더욱 파랗게 물들이지 않았겠는가.

이별 눈물 해마다 푸른 물결을
더욱 푸르게 하였으리라.

또한 허균의 《성수시화星叟詩話》에 보면
대동강 가 연광정練光亭에는
수많은 시인들의 시가 걸려있었다고 한다.
그런데 중국에서 사신이 오면 모두 내리고
오직 정지상의 작품만을 남겨놓았다고 한다.

'해동海東의 위성삼첩渭城三疊'이라 하였다고 하니,
중국에서 삼대시인의 하나인
왕유의 〈송원이사안서送元二使安西〉를
'양관삼첩陽關三疊'이라 한 데서 유래한 것이다.
이별할 때
세 번씩 노래하며 헤어졌다는 말일 게다.

내 가슴도 오래전 이미 파랗게 멍이 들었다.
고향의 순이도 그러하겠지만.
파아란 하늘, 파아란 강물, 파아란 나무, 파아란 가슴.
모두가 파아란 눈물 때문이었던가.

술에 취해서

정지상 鄭知常, 미상 ~ 1135
〈취한 뒤 醉後〉

복숭아꽃 붉은 비 새는 재잘거리는데
집을 두른 푸른 산 사이에는 비취빛 산기운.
이마에는 오사모 게을러 정돈되지 아니하고
취하여 잠든 꽃 언덕 강남을 꿈꾸네.

桃花紅雨鳥喃喃   繞屋靑山間翠嵐
도 화 홍 우 조 남 남   요 옥 청 산 간 취 람

一頂烏紗惰不整   醉眠花塢夢江南
일 정 오 사 타 부 정   취 면 화 오 몽 강 남

정지상鄭知常 고려 중기의 시인으로 호가 남호南湖이며 고려를 대표하는
시인으로 평가된다. 〈대동강〉 시는 이별시의 백미로 꼽혔으며, 중국의
3대 시인인 왕유에 비견되어 '해동양관삼첩海東陽關三疊'으로 불리어졌다.

점점 녹음이 짙어져가는 산들.

이따금씩 불어오는 푸른 산기운.

붉은 비가 쏟아지듯 떨어지는 복숭아꽃.

지는 꽃이 서럽다고 요란하게 지저귀는 새들.

그 속에서 가는 봄을 아파하며

기울이는 한 잔 또 한 잔.

마침내 곤드레만드레 취해버린 시인은
낙화가 우수수 쌓여가는 복숭아나무 아래서
빈 술병이랑 함께 쓰러져버렸다.
격식의 상징이며 선비의 자존심인 오사모가
단정하든 단정하지 못하든 내 알 바 아닌 것이다.

강남땅. 평소에 그리던 이상향.
그 그지없이 자유롭고 평화로운 도원桃園에서의
마냥 달콤한 휴식은 꿈속으로 이어져 깊어만 간다.
간절한 그리움과 희망이 들어 있으나
바로 드러내지 아니하고 모두가 낭만이며 이상이다.

언제나 격식을 강요하고 구속하던 선비의 상징인
저 오사모를 삐딱하게 쓰고 취해 잠들어
이상을 꿈꾸는 것은 시인의 현실이기도 한 것이다.

격식과 구속을 싫어하고
맑은 세상을 꿈꾸는 나도 그러하니,
오늘밤 저 꽃밭에서 취하여 잠들기를 바라고
그 이상을 꿈꾸기를 기다려본다.
꿈속에서도 순이는 나를 기다리고 있을까.

036

약속을 잊은 임

이황 李滉 1501~1570
〈한가로운 봄날 春日閑居次老杜六絕句〉

산꽃 어지러움을 금하지 못하고
도리어 길 풀이 많음을 불쌍히 여기네.
좋은 사람 약속하고 이르지 않으니
이 푸르른 단지의 술을 어이할거나.

不禁山花亂   還憐徑草多
불 금 산 화 란   환 련 경 초 다

可人期不至   奈此綠尊何
가 인 기 부 지   내 차 녹 준 하

이황李滉 조선 중기의 문신이며 학자. 자는 경호景浩 호는 퇴계退溪이며 한
국을 대표하는 성리학자로, 영남학파의 창시자인 이언적의 주리론의 영
향을 받고 이를 계승하여 집대성하였다.

조선 성리학을 집대성하여

유가의 대종으로 숭앙되는 퇴계 이황의

〈춘일한거차노두육절구春日閑居次老杜六絶句〉이다.

퇴계는 시문과 글씨에도 뛰어났다고 전해진다.

제목이 '봄날 한가로이 거처하며

노두의 육절구에 차운하다.'이니,

'노두老杜'는 같은 당나라 시인인 두목杜牧을

소두小杜라 한데서 두보를 지칭한 것이고

두보의 육절구시六絶句詩를 차운次韻한 것이다.

시에서 '산화란山花亂'은
산꽃이 흐드러지게 피었음을 나타낸 것이고,
'연경초다憐徑草多'는 풀이 길을 덮고 있음을
오히려 불쌍히 여긴다는 것이니
풀이 사랑스러워
차마 밟지 못함을 뜻하는 것이다.
'가인佳人'은 좋은 사람이니 연인이나 친구일 것이며,
'내하奈何'는 의문사이고
'녹준綠尊'에서 '준尊'은 '준樽'과 같으니
푸른빛이 도는 잘 익은 술 단지를 뜻한다.

이미 임이 오는 길목에 술상을 차리고
잘 익은 술 단지를 놓고 기다린 지 오래다.
그런데 임은 기다리는 사람은 생각도 하지 않고
산꽃에만 정신을 빼앗기고 있다.
그저 산꽃이 흐드러진 것만 좋고
무질서함은 상관이 없다.
하물며 길을 덮은 봄풀들마저
사랑스럽기 짝이 없는 것이다.
조심조심 하나하나 이리 살피고 저리 살피며
혹시라도 밟힐까 두려워하기까지 한다.

기다리는 사람은 온갖 상상을 해본다.
어쩌면 오지 않을지도 모르고,
어쩌면 올 생각조차 없었는지도 모른다.
약속을 했으니 늦게라도 반드시 올 것이라고
마음을 다잡아 본다.
그러나 약속을 해놓고 이렇게 늦어도 되는 것인가.

먼 데서 오는 임을 위하여 술상을 차리고
제일 오래되고 가장 잘 익은
푸른빛이 도는 술 단지까지 꺼내놓았다.

이는 예전 사람들이
약속한 임은 안 오고 안주는 식어가는데,
서운한 마음을 달래고 늦어지는
임을 기다리는 방법인지도 모르겠다.
물론 그 가운데는 임을 만나 꽃그늘 아래서
술잔에 꽃잎을 띄우고
달을 벗 삼아 춤추고 노래하며
밤을 새울 설렘이 들어있는 것이다.

나는 오늘 밤, 오지도 않을 임을 기다리며
달과 그림자를 벗 삼고
안주도 없는 술을 기울여 볼까 한다.
순이도 동구나무 아래서 나를 기다리다가
술이라도 한잔 기울이면 좋겠다.
비록 술잔에 달이 뜨지 않고
하늘에 구름이 보이지 않더라도
그리움 그대로 기다려주면 좋겠다.

COFFEE

	HOT	COLD		HOT	COLD
ESPRESSO	2,000		WHITE CHOCOLATE	3,500	3,500
AMERICANO	2,000	2,500	MILK TEA	3,500	3,500
CAPPUCCINO	3,000	3,000	HOT CHOCOLATE		
CAFFE LATTE	3,200	3,200	ICED TEA		
CAFFE MOCHA	3,500	3,500	LEMON TEA		

구름 속의 절

이달 李達 1539~1612
〈불일암 佛日庵贈因云釋〉

절이 흰 구름 가운데 있는데
흰 구름을 스님은 쓸지를 않네.
손님이 와서야 문이 비로소 열리니
온 골짜기 송화가 뿌옇구나.

寺在白雲中　　白雲僧不掃
사 재 백 운 중　　백 운 승 불 소

客來門始開　　萬壑松花老
객 래 문 시 개　　만 학 송 화 로

이달李達 조선 중기의 시인으로 자는 익지益之이며 호는 손곡蓀谷이다. 최
경창과 백광훈을 합하여 삼당시인三唐詩人으로 불리어졌으며, 온 나라 안
을 떠돌아다니면서 평생 시만 지었다고 한다.

조선 전기 삼당시인三唐詩人의 대표적 인물인

손곡蓀谷 이달의 〈불일암증인운석佛日庵贈因雲釋〉이다.

이달은 허난설헌과 허균의 시 스승으로도 유명하다.

'삼당시인'이란 한국 한문학사에서

우리나라 처음으로 당풍唐風의 한시를 구사한

손곡 이달, 옥봉玉峰 백광훈, 고죽孤竹 최경창을

일컫는 말이다. 이들은 당풍의 시를 구사하며

평생을 문장은 짓지 않고 시만 썼다고 한다.

손곡은 서자 출신으로
생애에 대해서는 자세히 알려져 있지 않다.
엄격한 신분사회였던 조선에서
그가 할 수 있는 일은 아무 것도 없었다.
때문에 그는 오직 시를 지으며
방랑생활로 일관하였다.

이 시는 손곡의 대표작이다.
인운因雲 스님은 아마도 불일암의 스님일 텐데
법명을 '인운'이라 하였으니,
세속을 떠나 구름처럼 자유롭게 살고 싶은
소망을 담은 것이다.
따라서 속세와 멀리 떨어진 깊은 산 속의
구름 속의 절에서 정진하고 있는 것이다.
구름이 곧 절이고 스님이니
굳이 쓸 필요가 없는 것이다.
구름 속의 절에서 구름을 배우려는 스님이
굳이 구름을 쓸 필요가 없었던 것이다.

구름 속에서 구름이 되어버린 스님은
손님이 와서야 비로소 문을 열었다.
그런데 문을 연 온산 골짜기에는
송화 가루가 하얗게 날리고 있었다.
구름과 송화 가루와 절과 스님이 하나가 된 것이다.

물론 나그네인 시인도 구름과 송화 가루와 스님과
하나가 되고 있다.

이 시의 결구에서 '노老'는
대부분 '시들었다'거나 '늙었다'로 많이 해석하는데,
굳이 '뿌옇다'라고 해석한 것은
이 시에서 '늙을 로'자는 늙었다거나 시들었다는
겉으로 드러난 뜻으로만 보아서는 안되기 때문이다.

시인이 표현하고자 한 것은
속세를 떠난 자연과의 동화이다.
때문에 '늙었다'에서 '하얗다'로
'하얗다'에서 '뿌옇다'로 의미가 확대된 것이다.

속세와 멀리 떨어진 불일암과
거기에서 참선하는 스님의 모습이,
극도로 절제된 표현을 사용하여 담담하게 묘사되고
있는 가운데에서 절실해지고 있다.

인운(仁雲).
구름처럼 얽매이지 않고
세속적 욕망으로부터 자유롭고자 함에서이다.
구름이 곧 사람이고 사람이 곧 구름이니,
구름처럼 세상을 살아갈 뿐이다.

손곡(蓀谷).
향기 나는 풀이 무성한 계곡이니,
맑음과 착함으로 사람의 길을 찾고
세상을 맑음으로 물들이며
자연과 하나가 되고자 함에서이다.

순이는 오늘도 어디에선가 파란 하늘의
하얀 구름을 보며 내 생각을 하고 있을 것이다.
바람 불면 그 향기 전해 오려나.

푸른 버들

금각 琴恪. 1569 ~ 1586
〈수양버들 楊柳詞〉

그대 보내고 마음으로 광풍을 쫓아갔으나

가다가 강 머리 푸른 버들 가지에 걸리었구나.

푸른 버들 내 마음 속 일을 잘 알 터이니

안개 같은 가지 억지로라도

임의 옷을 잡아매고자 하였네.

送君心逐狂風去　　去掛江頭綠柳枝
송 군 심 축 광 풍 거　　거 괘 강 두 녹 류 지

綠柳能知心裏事　　烟絲強欲繫郎衣
녹 류 능 지 심 리 사　　연 사 강 욕 계 랑 의

금각_{琴恪} 조선 전기의 인물로 허균의 형인 허봉의 애제자였으나, 18세에
요절하였다고 한다.

임을 전송하러 마을 입구에 나왔다.

차마 떠나지 말라고 말할 용기도 없어

그저 멍하니 떠나가는 임을 바라보고만 있다.

마침 바람은 내 마음인양 미친 듯이 불고 있었고

내 마음은 광풍을 따라 임을 좇아가고만 싶었다.

임은 결국 산모퉁이를 돌아 사라져버리고

겨우 푸름이 돋아 오른 버들가지가 눈에 들어온다.

내 마음은 그 가지에 걸려 흔들거리는데,
임은 뒤도 돌아보지 않고
무정하게 떠나가고 있다.
안개처럼 뿌옇게 축축 늘어진 가지로
임의 옷깃을 잡아매어
떠나지 못하게 하였으면,
조금이라도 떠남을 늦출 수 있었으면 하는
간절한 마음인 것이다.
내년 봄 실버들 천 가지 만 가지를
어찌 대한단 말인가.
이 사람의 마음이 알알이 맺혀 있으리니
거기에 내 마음도 꽁꽁 묶여버릴 것이다.

속절없는 사랑이여.
사랑에 목숨을 검이여.
버들가지 다시 푸르러지면
돌아온다던 석이를 기다리는 순이의 마음이여.

수줍은 사랑

임제 林悌 1549 ~ 1587
〈소녀의 원망 閨怨〉

열다섯 아리따운 소녀가
남 부끄러워 말 못하고 이별을 하네.
돌아와 중문을 닫아걸고
배꽃에 비친 달빛 향해 울었다네.

十五越溪女　　羞人無語別
십 오 월 계 녀　　수 인 무 어 별

歸來掩重門　　泣向梨花月
귀 래 엄 중 문　　읍 향 이 화 월

임제林悌 조선 중기의 시인이며 문신으로 호가 겸재謙齋이고 대곡大谷 성
운成運의 문인이며, 동서東西의 당파싸움을 개탄하여 벼슬을 버리고 명산
을 찾아다니며 여생을 보냈다. 시풍이 호방하고 명쾌했으며 문장가로도
명성을 떨쳤다.

'월계녀越溪女'는 월나라 시냇가에서
남의 빨래 일을 했다는
중국 삼대미인의 하나인 서시를 말함이니,
아리따운 아가씨를 말하는 시어이다.
열다섯 살은 예전 결혼적령기의
가장 아름다운 시절이다.

열다섯의 곱고 예쁜 소녀가 이별을 하고 있다.
혹시라도 남이 알까봐 사랑 한다거나
기다리겠노라는 말도 못하고,
얼굴이 붉어진 채 고개를 숙이고
헤어져 집에 돌아온 것이다.

너무 부끄럽고 원망스러워
문이란 문은 모두 닫아걸었다.
이불을 뒤집어쓰고 울다가, 밤이 되었다.
마침 밝게 떠오른 달을 보니
더욱 서러움이 사무친다.
배꽃은 달빛을 받아 하얗게 자태를 뽐내는데
하얀 얼굴의 소녀는
하얀 달빛을 받은 배꽃이 서럽기만 한 것이다.

하얀 얼굴의 소녀가
하얀 배꽃에 비친 하얀 달빛에
하얀 눈물을 글썽거리고 있는 것이다.

순이도 그렇게 하얀 얼굴이었다.
굳이 하얀 달빛이 아니라도
하얀 눈물로 하얀 밤을 지새우며 나를 기다릴 것이다.
창밖이 하얗게 밝아오는 것을 바라보다가
하얀 얼굴의 순이와의 약속을 생각해본다.
언제쯤 돌아갈 수 있을까.

기다림

허초희 許楚姬. 1563~1589
〈독서하는 임에게 寄夫江舍讀書〉

비낀 처마에 제비는 들고 나며 쌍쌍이 날고
떨어지는 꽃 어지럽게 비단옷을 때리네.
동방에서 눈을 다하며 봄을 아파하는 뜻은
강남에 풀빛이 푸르건만 임이 돌아오지 않아서라네.

燕掠斜簷兩兩飛　　落花撩亂拍羅衣
연 략 사 첨 양 양 비　　낙 화 요 란 박 나 의

洞房極目傷春意　　草綠江南人未歸
동 방 극 목 상 춘 의　　초 록 강 남 인 미 귀

허초희許楚姬 조선 중기의 대표적 여류시인으로, 호가 난설헌蘭雪軒이며
동인東人의 영수였던 허엽의 딸로 태어났고 삼당시인의 대표격인 이달에
게 시를 배웠다. 그녀의 시집은 중국과 일본에서 간행되어 크게 인기를
끌었다.

강남 별장에서 공부하는 남편에게 보낸 시이다.
공부를 하러 간다고 남편은 강남에 있는 별장에서
일 년을 보냈다.
다음 해 봄이 오자, 그녀는 멀리 강남을 향하여
눈을 다하고 그리운 임이 돌아오기만을 기다리고 있다.
그러나 임은 돌아올 줄 모르고
무정한 제비만 처마를 들고 나며 쌍쌍이 날고 있다.

깊은 규방에 틀어박혀
그녀는 임이 돌아오기만을 기다리는데,
뜰의 꽃은 벌써 하나 둘 떨어지고 있다.
떨어지는 꽃잎이 그렇지 않아도 아픈
나의 비단옷을 때린다.
'상춘傷春'은 가는 봄을 아파한다는 뜻도 있지만
청춘이 가는 것을 슬퍼한다는 뜻도 있다.
강남은 이미 봄이 한참 지났을 텐데

임은 돌아올 줄을 모른다.
임이 돌아오지 않음은 그래도 참을 수 있는데
청춘이 허망하게 지나감은 참을 길이 없다.
눈물 가득한 눈으로 임을 기다리고 있지만
실은 젊음을 전송하고 있는 것이다.

그리움 그것은 사랑이다.
기다림 그것도 사랑이다.

오늘도 파란 하늘엔 하얀 구름이 떠간다.
고개를 늘여 빼고 눈알이 빠져라
끝없이 눈길을 보내는 것은, 아무리 눈보라치고
춥고 차가운 강이라도 낚싯대를 드리우는 마음이니
절망이 아닌 희망을 보고싶은 것이다.
또한 순이는 동구 밖에서 서성이며
아직도 나를 기다리고 있을 것이다.

기약 없는 약속

이옥봉 李玉峯, 조선 중기
〈여인의 마음 閨情〉

약속함이 있었건만 옴이 어찌 늦으실까.
뜰의 매화는 지려고 하는 때라네.
갑자기 가지 위 까치소리 들려
부질없이 거울 속 눈썹을 그려본다네.

有約來何晚　　庭梅欲謝時
유 약 래 하 만　　정 매 욕 사 시

忽聞枝上鵲　　虛畫鏡中眉
홀 문 지 상 작　　허 화 경 중 미

이옥봉李玉峯 조선 중기의 여류시인으로 맑고 씩씩한 시로 중국과 조선
에서 시집이 출간되어 많은 사랑을 받았다.

임은 이별하며
다음해 봄에 오겠다고 하였다.
믿을 수 없는 것이 남자의 약속이었던가.

뜰의 매화가 다 지도록 임은 오시지 않았다.

봄이 시작 되어 봄이 다 가도록
눈길은 대문 밖을 향하였다.
때로는 기다림에 지쳐 누각에도 올라보고
동구 밖에도 나가보았다.
그러나 끝내 임의 모습은 보이지 않았다.
원래 올 마음이 없었는지도 모른다.

갑자기 나뭇가지 위 까치가 요란하게 울어댄다.
까치가 울면 반가운 임이 온다고 하였다.
급히 거울을 꺼내어 놓고
곱게 단장을 베풀어본다.
사실 이미 포기하였으나 그래도 혹시나 하는
희망을 버리기가 싫었던 것이다.

곡선을 따라 그려지는 눈썹 아래로
하얀 눈물이 떨어지고 있다.
사실 임은 이후에도 다시는 오지 않았다.
옥봉은 임을 그리는 숱한 시를 쓰다가
끝내는 서해바다에 몸을 던졌다고 한다.

오늘밤도 순이는 등불을 끄지 못하고
나를 기다리고 있을 것이다.
저 달을 바라보며
같이 그리워하리라고 다짐할 것이다.
달은 말이 없고
바람은 무심하기만 하다.

남산의 만남

백광훈 白光勳 1537~1582
〈양천유에게 寄梁天維〉

어제 남산에서 술을 마시다가
임의 시에 취하여 응수를 못하였네.
깨어나니 꽃이 손 안에 있고
호랑나비만 사람을 짝하여 근심 겹구나.

昨日南山飮　　君詩醉未酬
작 일 남 산 음　　군 시 취 미 수

覺來花在手　　蛺蝶伴人愁
각 래 화 재 수　　협 접 반 인 수

백광훈白光勳 호는 옥봉玉峯으로 벼슬에 뜻이 없어 산수를 즐기며 시문에
몰두했으며 글씨에도 뛰어났다.

어제 임을 만나 남산에서 통음痛歆을 하였다.
새벽에 깨어보니
임은 언제 갔는지 알 수 없고,
옆에는 임이 나에게 준 시만 덩그러니 놓여져 있다.

어젯밤에 무슨 일이 있었던 것일까.
나는 왜 혼자 잠들어버린 것일까.
술에 취하여 임에 취하여 잠들어버린 나를 두고
임은 슬그머니 돌아갔나 보다.
임의 시에 응수도 못한 나를 임은 얼마나 원망했을까.
미안한 마음에 시상을 열었지만
임은 이미 떠나갔으니 무슨 소용이랴.

정신을 차려보니
내 손에는 꽃가지가 쥐어져 있다.
내가 임에게 주려 꺾은 것인지.
임이 내 손에 쥐어주고 간 것인지.

꽃가지의 향기는 나비를 주변에서 서성거리게 하지만
이미 시들한 꽃에 나비도 근심스럽다.
섭섭한 임. 그렇게 그냥 가다니.
나비가 시들한 꽃에 서운해 하듯
지난밤이 생각할수록 안타깝기만 하다.
아직도 덜 깬 술에 도리질을 하며
임이 남긴 시에 차운을 해보지만 부칠 길은 있는 것인지.
미안하고 그립고 고마운 마음이 뒤섞이며
근심스럽기만 하다.

아! 술이 원수로다.
임과 같이하는 그 밤을 취하여 이렇게 허망하게 보내다니.
또 안 취했으면 어찌했겠는가.
가시는 뒷모습을 어찌 볼 수 있었겠는가.
차라리 취하여 가시는 임을 보지 못한 것이 나았으리라.
임의 시에는 왜 바로 화답하지 못했던 것일까.
할 말이 너무 많아 다 담을 수 없었던 게지.
임을 보고 말문이 막혀 붓을 들지 못한 것이겠지.
답하지 않은 가운데 많은 뜻이 있었던 게지.
순이는 알고 있겠지.
달이 있고 바람이 있고 술이 있었음을.

봄날은 간다

송한필 宋翰弼, 조선 중기
〈우연히 짓다 偶吟〉

어제 밤 비에 꽃이 피었더니
오늘 아침 바람에 꽃이 진다네.
불쌍타 한 해 봄날의 일이
비바람 속에서 오고가는구나.

花開昨夜雨　　花落今朝風
화 개 작 야 우　　화 락 금 조 풍

可憐一春事　　往來風雨中
가 련 일 춘 사　　왕 래 풍 우 중

송한필 宋翰弼　조선 중기의 학자이며 문인이다. 호는 운곡雲谷이며 형 송
익필과 함께 성리학과 문학으로 이름이 있었다.

꽃을 피운 것은 어제 밤의 비이고
꽃을 떨군 것은 오늘 아침 바람이다.
간밤 비 맞고 핀 꽃이
아침 바람에 땅바닥에 뒹굴고 있으니,
겨우내 눈과 추위를 참고 견디며 꽃을 피웠건만
마침내는 무색하게 되었다.
곱고 아름다운 자태를 제대로 뽐내기도 전에
허망하게 져버린 것이다.
우리의 일생을 전구轉句의
'가련일춘사可憐一春事'로 압축하여

한 해의 봄이 비와 바람 사이에서 지나가듯이
우리의 인생도 결국 덧없이 지나감을
말하고자 한 것이다.
비와 바람은
우리가 예측하지 못하는 가운데에서
언제나 발생하고,
그 불공평함과 우연을 탓하기엔
꽃이 너무 여린 것이다.

오늘밤 나는 맨 정신으로 잠들지 못할 것이다.
저 하늘의 달을 보아도 그러할 것이고
그 아래서 지는 꽃비를 보아도 그러할 것이다.
누구는 봄비가 반갑다고 하지만,
난 그 바람과 비가 떨구는 꽃잎에
슬퍼하지 않을 수 없고
가는 봄에 내 삶도 저물어가는 것에
아파하지 않을 수 없다.

비록 내일 철쭉이 온산을 붉게 물들인다고 하여도,
오히려 밤을 새워 피를 토하며 울부짖은 두견을
생각하지 않을 수 없는 것이다.
당나라 이백이 〈춘야연도리원서春夜宴桃李園序〉에서
고인들이 등불잡고 밤에 노닌 것이
모두 까닭이 있다는 것이 이해가는 밤인 것이다.
한유가 '일년명월금소다一年明月今宵多'라고
말하지 않았던가.
술이 있고 밝은 달이 있으니 아니 마시고 어떠하겠는가.
순이는 봄이 오고감에 무슨 생각을 하고 있을 것이며,
저 달을 보며 무슨 생각에 잠겨있을까.
아직도 나를 기다리는가.

사무치는 그리움

이매창 李梅窓 1573~1610
〈아낙의 원망 閨中怨〉

고운 정원 배꽃 피고 두견새 우는데
뜰 가득한 달그림자 더욱 쓸쓸하구나.
그리움에 꿈꾸고자 하여도 도리어 잠들지 못하고
일어나 매화 창가 기대니 새벽을 알리는 소리 들리네.

瓊苑梨花杜宇啼　　滿庭蟾影更凄凄
　경 원 이 화 두 우 제　　　만 정 섬 영 갱 처 처

相思欲夢還無寐　　起倚梅窓聽五更
　상 사 욕 몽 환 무 매　　　기 의 매 창 청 오 경

이매창李梅窓 조선 중기의 여류시인이며 황진이와 더불어 명기名妓로 이
름을 떨쳤다. 매창은 그녀의 호이며 자는 천향天香이다. 특히 시와 거문
고에 뛰어났다고 전해진다.

조선 중기 개성기생 황진이와 더불어 이름을 나란히 했던
부안 기생 이매창의 〈규중원閨中怨〉이다.

'경원瓊苑'은 '옥 같은 정원'이니 곱고 큰 정원이다.
'섬蟾'은 '달의 이칭異稱'이니 '섬영蟾影'은 달그림자이다.
'처처凄凄'는 쓸쓸한 모양이다.
예전 사람들은 밤을 다섯으로 나누었는데
'오경五更'은 무야戊夜이며 '인시寅時'로 새벽이니
4대문의 통행을 허용하는 시간이다.
'매창梅窓'은 흔히 '매화가 피어있는 창가' 또는 '매화가
바라보이는 창가'로 이해하기 쉬우나 사실은 '매화무늬가
아로새겨진 창틀을 가진 창문'으로 보아야 한다.

현대에는 고궁이나 사찰의 문틀에서나 볼 수 있을 뿐이나,
고대에는 선비나 문인들이 방의 운치를 더하기 위하여
창틀에도 매화무늬를 아로새긴 경우가 많았다고 한다.

하얀 배꽃에 달빛이 부서지고
두견새는 임 그립다고 밤을 새워 피를 토하며 울어댄다.
아무도 없는 뜰에는 오로지 가득한
달그림자만 쓸쓸하기 그지없다.
한 번 떠난 뒤, 소식조차 없는 임을 꿈에서라도
볼 수 있을까 하여 억지로 잠을 청해보지만,
잠마저 무정하여 끝내 꿈을 허락하지 않는다.
할 수 없이 일어나 매화 창가에 기대어 배꽃에 비친
처량한 달그림자를 보고 있노라니,
멀리서 새벽을 알리는 닭 울음소리가 들려온다.

임도 저 달빛을 보고 있는지
그곳에도 달빛은 쓸쓸하기만 한지 궁금하다.
또한 임도 나처럼 잠 못 이룰까.
이런저런 생각에 뒤척이는데
문득 누군가 창문을 두드리는 소리가 들려,
열어본 창가에는 지친 달빛만 홀로 흐느끼고 있다.

오늘 밤, 몰래 순이를 찾아가 볼까.

아직도 처마 밑 밤새 등불을 밝히고 동구 밖 서성이고

있을까. 달을 볼 때마다 그리움은 가득하건만

도는 멀고 날은 저물어가니 마음은 급하고 할 일은 많아

언제나 그 등불에 답할 수 있으려나.

종이 이불 차가운 나그네 잠자리에서

더욱 그리운 따뜻한 품이여.

두번째

바람결에 구름따라

임을 보내며

왕유 王維, 699~759
〈원이를 전송하며 送元二使安西〉

위성의 아침 비 가벼운 먼지를 적시니
객사는 푸르고 푸른 버들 빛이 새롭구나.
그대에게 권하여 다시 한 잔의 술을 바치니
서쪽으로 양관을 벗어나면 친구도 없으리라.

渭城朝雨浥輕塵　　客舍青青柳色新
위 성 조 우 읍 경 진　　객 사 청 청 유 색 신

勸君更進一杯酒　　西出陽關無故人
권 군 갱 진 일 배 주　　서 출 양 관 무 고 인

왕유王維 당나라 때의 시인이며 화가로 자는 마힐摩詰이며 자연을 소재
로 한 서정시에 뛰어났고 '시불詩佛'이라 불리어졌으며, 남종문인화南宗
文人畵의 창시자로 평가된다.

중국의 성당 때의 유명한 시인이며 화가인
왕유의 〈송원이사안서〉이다.
왕유는 시성詩聖 두보와 시선詩仙 이백과 더불어
시불詩佛이라 불리어졌다.
왕유는 자가 마힐摩詰인데 대승불교의 이름난
재가보살로 '때가 묻지 않은 사람'이라는 뜻이다.
왕유는 작품에 불교적 세계관을 많이 표현하였으며
만년에는 승려로 살았다.
맹호연과 더불어 산수전원시인山水田園詩人으로
새로운 경지를 열었다고 평가받아
소동파도 "시 속에 그림이 있고,
그림 속에 시가 있다."라고 평하였다.

'원이'는 중국 특유의 사람을 표현하는 방법인데
'원씨 댁 둘째'라는 뜻이다.
'안서'는 원이가 사신가는 지명으로
지금의 신강 위그르 자치구이다.
지금도 황량한 곳인데 그 때는 더 했을 것이다.
'위성'은 진나라의 수도였다가
한나라의 현이 된 곳으로
이 시가 지어진 후에는 악곡樂曲의 이름이 되었다.

객사는 여관이다.

'양관陽關'은 지금의 감숙성 돈황 부근으로
역시 허허벌판이다.

'고인故人'은 친구나 연인을 나타내는데
여기서는 친구를 나타낸다.

시절도 임과의 이별을 아는지
아침부터 비가 내리고 있다.
그러나 비는 잘 가라는 가랑비라서
가볍게 먼지만을 적시는 낭만적인 비이다.
세상의 먼지를 씻어내니 가려져 있던
세상의 아름다움이 선명하게 드러나고 있다.

역시 연인들이 데이트를 즐길만한
곱고 아름다운 환경에서
시인은 임과 이별을 하는 것이다.
경치가 낭만적이고 아름다울수록
그 이별의 애절함은 지극해지는 것이다.

객사의 앞마당에는 늘어진 버들이 비를 맞아
그 푸른빛을 더욱 빛내고 있다.
버들은 이별을 상징하는 시어이고
또한 나를 잊지 말아달라는 간절한 소망인 것이다.
버들은 생명력이 뛰어나
아무리 오래되어도 가지를 땅에 심고 물을 주면,
다음 해 봄에는 반드시 싹을 틔운다고 한다.
이별할 때, 이를 주는 것은 어딜 가던지

싹을 틔울 때마다 나를 잊지 말고
꼭 돌아와 달라는 간절한 의미인 것이다.
객사 마당의 버들이 새로운 것은
이런 의미를 생각한 것이고
비를 맞아서이기도 하지만
서로 잊지 말자는 굳은 맹세가 들어있는 것이다.

그대에게 권하여
다시 한 잔의 술을 드린다고 하였다.
여관 건물이 있고
그 마당에는 푸른 버들이 있다.
그 버들 아래 두 사람은 이별의 잔을
나누고 있는 것이다.
멀리 떠나는 임을 전송하기 위하여
국경인 양관에까지 와서 차마 이별하지 못하여
며칠을 여관에 묵으면서
이별의 잔을 나누고 있으니,
그 두터운 정이 어떠한지는 말하지 않아도 알 수 있다.

아침이라고 했으니
어젯밤도 밤을 새워 술을 마신 모양이다.

벌써 며칠째인가.
술을 마실 때, 헤어지기 아쉬워
'딱 한 잔만 더하자.'를 외치는 것은
술 때문이 아니고 그 정 때문이었음을
술 마시는 자가 아니면 어찌 알겠는가.
이백이 술 마시지 않는 자에게
굳이 전하려 하지 말라던 그 경지일까.

마당에는 헤어질 때 임이 꺾어주었던
그 버들가지가 아무렇게나 버려져있다.
그래도 버들은 떠나간 임을 잊지 못해
기다리고 있는 사랑처럼 그 끈질긴 생명력으로
새싹을 틔우고 있는 것은 아닐까.

중국 사람들이 이 시를 '양관삼첩陽關三疊'이라고 부르며
이별할 때 이 시를 세 번씩 읊조리며 전송했다고 한다.
후에 악곡樂曲으로까지 만들어졌다고 하니
그 애절함은 미루어 짐작할 수 있겠다.

오늘밤 달이 뜨면 나는 이 시를 세 번 읊조리다
임을 만날 수 없음을 슬퍼하며

달과 그림자와 셋이서

서로 권하며 술잔을 기울이고 싶다.

아스라한 기억 속

'딱 한 잔만 더'를 외치던 순이는 지금쯤 어디 있을까.

다시 만나면 내가 먼저 벌주 서 말을 먹어야겠지.

약속

유숙 柳淑 1314~1368
〈벽란도에서 碧瀾渡〉

강호의 약속을 오래도록 저버리고
홍진에서 이십 년이네.
백구는 비웃고자 하는 듯
번번이 누각 앞을 스치네.

久負江湖約　　紅塵二十年
구 부 강 호 약　　홍 진 이 십 년

白鷗如欲笑　　故故近樓前
백 구 여 욕 소　　고 고 근 루 전

유숙柳淑 고려 후기의 문신으로 호는 사암思庵이며, 충숙왕 때 과거에 급제하고 공민왕을 시종하여 일등공신이 되었으나 신돈에게 피살되었다.

'벽란도碧瀾渡'는 예성강 하류에 있는 나루터 이름이며
여기에 벽란정이라는 누각이 있었다고 한다.
'홍진紅塵'은 붉은 먼지가 나는 속세를 뜻한다.
'고고故故'는 여기에서는 '끼룩끼룩 우는
기러기 소리'이기도 하고

'짐짓' 또는 '일부러'라는 의미이기도 하며
'자주' 또는 '번번이'라는 뜻이 모두 아울러 쓰인 것이다.

예성강 강자락 언덕빼기에 날개를 펼칠듯이
서있는 정자가 곧 벽란정이다.
나그네가 여기를 지나칠 때면
차마 이곳을 그냥 지나치지는 못하였으리라.
푸른 물결 넘실대는 예성강 물 위에
푸른 물결 누각은 한 폭의 그림 같기만 하다.

그때 갑자기 갈매기들이 가까이 날며
자기에게 관심을 보이는 듯하다.
끼룩끼룩 울며 일부러 다가오기도 하고
번번이 처마를 스치기도 한다.

강호에 물러나 은둔하며
학문을 닦겠다고 하더니,
언제 그런 말을 했느냐며 20여 년을 그대로
속세에서 놀고 있느냐고 말이다.
비록 약속은 지키지 않았지만
이제라도 찾아왔으니 반겨주는 것일까.
아니면 아직도 홍진紅塵 속에서
먼지를 뒤집어쓰고 있는 나를 비웃는 것일까.
스스로의 자격지심일 뿐이다.
귀거래를 하지 못하고 우유부단한
자신의 심정을 이입시킨 것일 뿐이다.

시인은 끝내 강호의 약속을 지키지 못하고
신돈의 무함(誣陷)으로 죽임을 당하고
말았으니 참으로 안타까울 뿐이다.

젊은 시절,
모든 꿈이 부질없음을 깨닫고
평생을 초야에 묻혀 살겠다고 맹세한 적이 있다.
그런데 아직까지 홍진에서 무엇을 하고 있는지.
선비랍시고
사람의 길을 찾고 있다고,
맑음으로 세상을 물들이고 있다고,
변명아닌 변명을 해본다.

갈매기는 나를 보면 무어라 할지.
순이는 오늘도 내 강호약속을 믿고서
나를 기다리고 있겠지.
무심히 올려다본 하늘의 달이 유난히 밝다.

뜻밖의 사랑

이제현 李齊賢, 1287~1367
〈제위보에서 濟危寶〉

완사계 가장자리 수양버들 옆에서
손을 잡고 백마 탄 임과 마음을 논했네.
가령 처마를 이은 석 달의 비가 있더라도
손끝 어찌 차마 남은 향기를 씻겠는가.

浣紗溪上傍垂楊　執手論心白馬郞
완 사 계 상 방 수 양　집 수 논 심 백 마 랑

縱有連簷三月雨　指頭何忍洗餘香
종 유 연 첨 삼 월 우　지 두 하 인 세 여 향

이제현李齊賢 고려 후기의 문신이며 학자로 자는 중사仲思이고 호는 익재
益齋이며 학문과 문학과 정치에서 두드러졌다. 특히 시와 문장에 뛰어
나 소악부小樂府와 《역옹패설櫟翁稗說》등을 저술하였다.

《고려사高麗史》〈악지樂志〉를 보면,
어떤 여인이 죄를 짓고 제위보에서 노역을 하는데
어떤 남자에게 손목을 잡혔다고 한다.
그녀는 부끄러움을 씻을 길이 없어
이 노래를 지어 스스로를 원망하였다고 한다.
그런데 이제현은 한역漢譯을 하면서
사랑노래로 바꾸어 놓았으니,
그 여인의 마음을 헤아린 것인지
여인의 마음은 알 수가 없다.

중국은 한나라 때에 악부樂府라는 관청을 두어
관리들이 지방의 민요들을 채집하였다고 한다.
그것을 다시 한시의 형태로 옮겨 황제에게 바쳐
민심을 파악하는데 도움을 주었다고 하는데,
이를 '악부체樂府體 한시'라고 불렀다.
우리나라에서도 이를 흉내 내어 민요를 한시로 바꾸어
지은 것을 '소악부小樂府'라고 불렀다.

여기에서 '완사계浣紗溪'는 천을 씻는 시냇물이란
의미인데 예전에 빨래를 하던 곳이다.
그 속에는 월나라 시냇가에서 생계를 위하여
빨래 일을 하던 중국 4대 미녀의 하나인
서시를 뜻하기도 하니, 곧 아주 아름다운 여인이란
의미를 내포하고 있는 것이다.
'백마랑白馬郎'은 여인들이 흔히 꿈꾸는
이상적인 남자상이라고 해야 할 것이다.
'잠자는 숲 속의 공주를 입맞춤으로 깨우는
왕자'일 수도 있고 '유리 구두의 주인인
신데렐라를 찾아온 왕자'일 수도 있을 것이다.

시냇가에 빨래를 하러 나갔다.

097

모처럼 혼자만의 시간을 가진 그녀는
설레는 마음으로 물을 튕겨보기도 하고
물 속을 가만히 들여다 보기도 한다.
그러다가 중국의 4대미인 중 하나인 서시西施를
생각하고 물고기가 그 미모에 정신을 잃고
가라앉았다는 '침어浸魚'를 생각했다.
그때 어떤 남자가 다가와 갑자기 손을 잡는다.
깜짝 놀라 돌아다보니
평소에 꿈꾸던 백마를 탄 임이었다.
서로 그리움과 정을 논하며 많은 얘기를 나누었다.

헤어지고 돌아와서도 그 흥분과 설렘에
아직도 가슴이 두근거린다.
임에게 잡힌 손목의 흔적과 향기도
아직 그대로인 것만 같다.

예전 초가집 위로 비가 내리면,
특히 가난으로 지붕을 해마다 고쳐 얹지 못하여
오래된 지붕의 썩어가는 짚 위로 비가 내리면,
그 묵은 짚을 타고 내리는 물은
강력한 세재의 성분을 담고 있어

대야나 함지박에 받아 빨래를 하곤 했다.

비록 임은 가고 없으나 임에게 잡힌
손목의 그 느낌과 그 향기는 아직도 그대로이니,
차마 그 임의 흔적을 지울 수가 없다.
부끄러움에 강력한 세제에 씻고 또 씻을 것만 같은데
한편으로는 절대 씻고 싶지 않은 것이다.

순이도 그러했을까.
달은 말이 없고 바람은 무정하기만 하다.
그 향기도 그 느낌도 남아있지 않을 터이니,
손을 씻지 않은들 무슨 소용이겠는가.

비를 맞으며

최해 崔瀣 1287~1340
〈빗속의 연꽃 雨荷〉

후추를 쌓아 팔백 곡
천 년을 두고 그 어리석음 비웃네.
어찌 벽옥의 말로
날을 마치도록 밝은 구슬 헤아리나.

貯椒八百斛　　千載笑其愚
저 초 팔 백 곡　　천 재 소 기 우
如何碧玉斗　　竟日量明珠
여 하 벽 옥 두　　경 일 양 명 주

최해崔瀣 고려 말의 문인으로 자는 언명보彦明父이며 호는 졸옹拙翁이다.
원나라 과거에 급제하여 벼슬을 받았으나 병을 핑계하고 귀국하여 성
균관대사성이 되었다. 성품이 강직하여 출세에 파란이 많았고 말년에
는 농사를 지으며 저술에 힘썼다고 한다.

고려 충렬왕 때의 학자인
농은農隱 최해의 〈우하雨荷〉이다.

기구와 승구에는 고사故事가 있다.
당나라 원재는 관직에 있으면서
뇌물을 탐한다는 좋지 않은 평판이 있었는데,
그가 죽은 뒤에 집안을 검색하니
후추가 팔백 곡斛에 종유鐘乳가 오백 량이 나와
나라에서 모두 몰수하였다고 한다.

시인은 본국의 과거에는 물론
원나라의 과거에도 급제하여 문명을 국내외에 떨친
재사才士였으나, 타협을 모르는 강직한 성품 때문에
벼슬길에 용납되기가 어려웠다.
스스로 물러나 저술에 몰두하고 사자갑사獅子岬寺의
텃밭을 소작하여 근근이 연명하였다고 한다.

글을 짓다가 막혀 하늘을 멍하니 바라보다가
문득 창밖에 비가 내리고 있음을 깨달았다.
보이는 연못에는 벽옥碧玉같은 연잎들이 가득한데
그 넓고 푸르른 잎사귀마다 빗방울은

숫돌에 칼을 갈듯 내리치고 있다.
알알이 구슬이 되고
알알이 푸르른 옥이 된다.
우묵한 가운데로 또르르 굴러
모였다가는 이윽고 어느 만큼 고이면
스스로 제 무게에 고개를
숙이며 푸르른 구슬들이 쏟아져 내린다.

큰 잎에서는 말이 되고
작은 잎에서는 되가 되어,
종일토록 내리는 비에
종일토록 한 되요 한 말이요
헤아리고 또 헤아린다.
아름다운 탐욕일까.

서울 갤러리에서
'명심보감에서 사람의 길을 찾다'란 주제로 강의를 듣는
동지들이 전주 어머님 댁으로 나를 찾아왔다.
그들과 비오는 더진 연못에 들러
흐드러지게 피어난 연꽃을 보았다.
그리고 한 되 한 말, 푸른 명주를 헤아리는 연잎에
의미를 두고 다시금 더욱 정이 두터워지며,
그렇게 《예기禮記》의 '교학상장敎學相長'을 되새겨본다.

또 그 투명한 이슬이 또르르 굴러 떨어지는 연못,
막 피어나는 꽃 봉우리,
그 옆에서 산삼주를 나누었던

사은정謝恩亭의 친구들을 생각했다.

선조 산소를 돌보겠다며 그 옆에 가건물과 누각을
세우고 초청해준 친구와 멀리서 함께 마시려고
산삼주를 들고온 친구의 정에 감사한다.

이밤, 그 파아란 구슬들은
어디를 향하여 흘러가고 있을까.
아직도 그 푸르른 잎들은 맑음을 저울질하고 있을까.
깊어가는 밤,
달빛을 저울질하며 멀리 순이를 생각해본다.
이것도 탐욕일까.

경정산에 앉아서

이백 李白, 701~762
〈홀로 경정산에 앉아 獨坐敬亭山〉

뭇 새 끝없이 높이 날고
외로운 구름 한가로이 홀로 가네.
서로 바라보아도 둘 다 싫어하지 않음은
다만 경정산이 있을 뿐이네.

衆鳥高飛盡　　孤雲獨去閒
중 조 고 비 진　　고 운 독 거 한

相看兩不厭　　只有敬亭山
상 간 양 불 염　　지 유 경 정 산

이백李白 중국 당나라 시인. 중국 최고의 시인으로 추앙되며 두보와 함께 '이두李杜'로 병칭되는 시인이며 시선詩仙이라 불린다. 1,100여 편의 작품이 현존한다.

중국의 3대시인의 하나이며

시선詩仙 또는 적선謫仙이라 불리어졌던

당나라 청련거사青蓮居士 이백의 〈독좌경정산獨坐敬亭山〉이다.

그는 항상 거만했고
부패한 당나라 정치에 불만이 있었는데
현종과 양귀비를 위하여
〈청평조淸平調〉를 지을 때에,
술에 취하여 현종의 총신인 고력사에게
먹을 갈게 하고 양귀비에게 벼루를 받쳐 들게 하여
미움을 받고 장안에서 추방당하였다고 전한다.

'경정산'은 안휘성 남동부 선성현 북부에
자리잡고 있는데 황산 줄기에 속한다.
이 작품은 이백이 벼슬길에서
뜻을 얻지 못하고 수도 장안을 떠나
방랑생활을 한지 10여년 되는
48세 때인 753년에 지은 것이다.

시인은 속세의 많은 번뇌를 안고서
경정산에 올랐다.
오르면 오를수록 속세의 번뇌는 덜어지고
자연과 하나가 되어간다.
정상에 이를 무렵
갑자기 새떼가 밑에서 날아오른다.

한참을 하늘 끝으로
아득히 사라져가는 모습을 바라보다가
문득 거기 홀로 유유히 떠가는
하얀 구름을 보았다.

새들은 어디로 날아가는 것일까.
하늘 끝 거기에는 무엇이 있을까.
정처 없이 집착도 없이 홀로 떠 가는 저 구름은
또 어디를 향해 가는가.
내 마음도 새를 따라 구름을 따라
그렇게 날아가고 흘러가고 싶기만 하다.

인자요산仁者樂山이라 했던가.
어진 사람은 산을 좋아한다.
어진 사람은 의리에 밝고 산과 같이 숭후하여
변하지 않으므로 산을 좋아하는 것이다.
나도 그러하여

가장 큰 장점이 의리이고
가장 큰 단점이 교만이다.
'의리'란 사람으로서
지켜야할 바른 도리이고,
'교만'이란 젠체하고 뽐내며 방자한 것이니
선비로서 마땅히 가야할 길은 아닐까.

나는 오늘도 사람의 길을 찾아 길을 나선다.
공자는 "아침에 도를 들으면
저녁에 죽어도 좋다."고 하지 않았던가.
하늘에서 유난히 외로운 구름 하나 나를 보고 웃는다.

떠나가는 임

임제 林悌 1549~1587
〈강가의 노래 浿江歌〉

저의 모습 꽃과 같아 고움 쉬이 시들고
임의 마음 버들개지 같아 떠남이 어찌 그리 가벼운가.
백 척의 청류벽을 옮겨
임 실은 고운 배 떠나지 못하게 막고만 싶네.

妾貌似花紅易減   郎心如絮去何輕
첩 모 사 화 홍 이 감   낭 심 여 서 거 하 경

願移百尺淸流壁   遮却蘭舟不放行
원 이 백 척 청 류 벽   차 각 난 주 불 방 행

임제林悌 조선 중기의 문인으로 호는 백호白湖이며 칼과 피리를 좋아하
였다. 10여 년의 벼슬에 환멸을 느껴 방랑하며 술과 여인과 친구를 좋
아하였으며 성격이 호협豪俠하였고 불편부당不偏不黨하였다.

조선 중기 천재적이었으며
가장 자유롭고 낭만적인 시인이었던 백호白湖 임제의
〈패강가浿江歌〉 10수 가운데 하나이다.

'첩'은 본부인이 아닌 사람을 뜻하기도 하지만
아내가 자기를 낮출 때 쓰이는 표현이다.
'청류벽淸流璧'은 대동강 변에 병풍처럼 늘어선
절벽을 이른다.
'차각遮却'은 막는다는 뜻이다.

봄날 꽃비가 내리고
버들개지가 어지럽게 흩날리고 있다.
꽃이 지고 있으니 봄이 지나가고 있음을 알 수 있다.
'춘春'은 꽃이 피는 계절이기도 하지만,
청춘을 나타내기도 하고
곱고 아름다움을 나타내기도 한다.

가는 봄을 따라 지난겨울 나와 함께 사랑하고
달콤한 시간을 보내었던 임도 꽃잎처럼 떠나가고 있다.
여인은 자신의 젊음이 떠나가는 것을
시들어가는 꽃에 비유했고,

사랑을 팽개치고 떠나가는 임을
이리저리 가볍게 흩날리는 버들개지에 비유하였다.

곱게 단장한 배를 타고 떠나가는 임.
꼭 다시 돌아온다고 맹세를 했건만
아마도 임은 떠나면 금방 기약을 잊어버리고
다른 여인의 품에 안길 것이다.
그래도 여인은 대동강 변의 청류벽을 통째로
들어다가 떠나가는 임의 뱃길을 가로막았으면 했다.

이렇게 한때의 봄도 지나가고 젊음도 시들어간다.
봄은 청춘이니 꽃이 지고 버들개지가
어지럽게 날리는 것은,
곧 젊음과 사랑이 끝남을 의미하는 것이다.

오늘 밤
아무도 올 사람이 없건만 등불을 밤새 밝히는 것은
꼭 가는 봄이 서럽고

꽃이 지는 것이 슬퍼서 그런 것만은 아니다.
흐르는 세월과 시드는 젊음을
차마 눈을 감고 보낼 수가 없어서이다.
백두산과 한라산을 모두 옮겨서라도
가는 사랑을 막고 싶기만 하다.
짧은 인생,
사랑하기도 시간이 모자라기만 한데
기약도 없는 기다림이라니
순이는 오늘 밤도 저 하얀 달을 보며
그 하얀 얼굴에 하얀 눈물을 흘리고 있을 것이다.

사랑의 찬가

홍만종 洪萬宗, 1643~1725
〈연밥 따는 노래 采蓮曲〉

저 아름다운 연밥을 따는 아가씨
횡당 물가에 배를 매었네.
백마 탄 임을 보고는 부끄러워
미소 지며 연꽃 속으로 들어가네.

彼美采蓮女　　繫舟橫塘渚
피 미 채 련 녀　　계 주 횡 당 저

羞見馬上郎　　笑入荷花去
수 견 마 상 랑　　소 입 하 화 거

홍만종洪萬宗 조선 후기의 문신이고 학자이며 시평가로, 자는 우해宇海
이고 호는 현묵자玄黙子이며 《시화총림詩話叢林》《순오지旬五志》《소화시평
小華詩評》 등 많은 저서를 남겼다.

조선 후기의 문신이며 학자인
현묵자玄黙子 홍만종의 〈채련곡採蓮曲〉이다.
홍만종은 학구파여서 몸이 아픈 와병 중에도
《순오지》를 지었다고 한다.

'채련곡'은 중국 4대 미인이었던 월나라 서시西施가
생계를 위하여 연밥을 땄다는 고사에서
연유하여 만들어진 곡조로,
이후 이 곡조에 맞춘 많은 시인들의 작품이 전한다.

여기서 '횡당橫塘'은
본래 중국 강소성에 위치한 제방 이름인데, 후에
청춘남녀가 사랑을 속삭이는 장소의 시어가 되었다.
'마상랑馬上郎'은 실제 '말 위에 앉은 임'을
나타내기도 하지만 '백마 탄 왕자'처럼
설레고 잘생긴 젊은 남자를 나타낸다.

아름답고 젊은 아가씨가 한껏 단장하고
연밥을 따러 나섰다.
사실 연밥을 딴다는 것은 집안이 가난하여
생계를 위한 일일 것이다.

그럼에도 젊은 아가씨가
나물을 캐거나 연밥을 따러 나갈 때에는
혹시 마주칠지도 모르는
마음속의 백마 탄 임을
그리며 곱게 단장을 하였던 것이다.

그런데 우연인지 운명인지
멋있고 잘생긴 임이
연밥을 따는 횡당 물가에 나타난 것이다.
이게 꿈인가도 생각했지만
설레는 마음을 가눌 길이 없다.

그녀는 연꽃 속에 숨어서
가만히 임을 훔쳐보다가
스스로 부끄러움에 연꽃 속으로
은근한 미소를 지으며 숨어들고 있다.

여름날,
하얗고 빨간 연꽃이 만발한 아름다운 강변에서
젊고 설레는 아름다운 사랑은
그렇게 뜨거워지고 있다.
순이와 함께 걷던 연꽃 길
두물머리였던가.

119

궁남지였던가, 덕진연못이었던가.
땀이 배어도 더욱 꼭 잡은 손에서 무르익던
그날의 사랑이여.
오늘,
혼자서 그 길을 걸으며 그날을 꿈꾸어본다.
여전히 파아란 하늘엔
하얀 구름이 그날처럼 흐르고 있다.

120

연꽃 같은 임

최해 崔瀣 1287~1340
〈바람 앞의 연꽃 風荷〉

맑은 새벽 겨우 목욕을 마치고
거울에 임하나 힘이 몸을 지탱하지 못하네.
자연스런 무한한 아름다움은
모두 단장하지 않았을 때 있구나.

清晨纔罷浴　　臨鏡力不持
청 신 재 파 욕　　임 경 역 부 지

天然無限美　　摠在未粧時
천 연 무 한 미　　총 재 미 장 시

최해崔瀣 고려 말의 문인으로 자는 언명보彦明父이며 호는 졸옹拙翁이다.
원나라 과거에 급제하여 벼슬을 받았으나 병을 핑계로 귀국하여 성균
관대사성이 되었다. 성품이 강직하여 출세에 파란이 많고 말년에는
농사를 지으며 저술에 힘썼다고 한다.

고려 말 강직한 성품으로 세상의 미움을 받아
굴곡 많은 삶을 살았던 졸옹拙翁 최해의 〈풍하風荷〉이다.

연못 위에 고운 자태로 솟아오른 연꽃처럼
아름다운 아가씨가 있다.
맑은 새벽 가장 먼저 떠온 샘물에
막 목욕을 마친 아가씨.
곱게 단장하려 거울 앞에 앉았다.
그러나 갑자기 나른해지고 힘이 빠져
화장할 생각도 못 하고 거울 앞에 멍하니 앉아 있다.

거울 속에 비친 갓 목욕한
아직 물기가 가시지 않은
뽀얀 살결과 촉촉한 머리칼,
연못 위에 막 피어오른
연꽃의 자연스러운 아름다움을 연상시킨다.
그 타고난 미모는
화장을 하면 오히려 가려질 것만 같다.

이 시의 제목은 '풍하'이니
'바람 앞의 연꽃'이고,
내용은 목욕을 막 끝낸 아가씨의 모습이다.
이것이 이 시의 절묘함이다.
아가씨를 연꽃에 비유한 건지,
연꽃을 아가씨에게 비유한 건지 아리송하기만 하다.
제목과 내용 사이에 함축을 넣은 것이니
마치 한 폭의 미인도를 보는 듯하다.

송나라 주돈이周惇頤는 〈애련설愛蓮說〉에서
연꽃이 물결에 씻겨도 요염치 아니하고,
멀리서 바라볼 수는 있어도
가까이에서 함부로 할 수 없으며
향기는 멀수록 더욱 맑다고 하였다.
맑은 새벽,
막 목욕을 마치고 김이 모락모락 나는
그런 아가씨의 아름다움과
너무 닮아있지 않은가.
이른 새벽,
우연히 대중목욕탕에 갔다가
막 목욕을 마치고 나오는 아가씨를 보았다.
당나라 현종이 양귀비의
가장 아름다운 모습을 보려고
전용 목욕탕인 화청지華淸池를 만들어준 이유를
짐작할 수 있겠다.
그때 그 모습이 여인의 가장 자연스러운
아름다움인 것을 이제야 알았으니
늦어도 너무 늦은 것이다.
순이가 나를 원망하는 이유를
조금은 이해가 가는 밤이다.

임 생각

죽서박씨 竹西朴氏, 조선후기
〈생각을 펼침 述懷〉

임을 생각하지 않으려 해도 저절로 임 생각나니,
그대에게 묻노니 무슨 일로 매번 서로 헤어지는가.
신령한 까치가 기쁨을 전한다고 말하지 말라.
몇 번이나 헛되이 놀라 황혼까지 기다렸던가.

不欲憶君自憶君　　問君何事每相分
불 욕 억 군 자 억 군　　　문 군 하 사 매 상 분

莫言靈鵲能傳喜　　幾度虛驚到夕暈
막 언 영 작 능 전 희　　　기 도 허 경 도 석 훈

죽서박씨竹西朴氏 박종언의 서녀이며 서기보의 소실小室로 호는 죽서竹西
이다. 미모가 뛰어났고 바느질에도 능하였는데 병으로 30여 세에 죽
었다고 한다.

박종언의 서녀庶女이며
판서 서기보의 첩이었던
죽서박씨의 〈술회述懷〉이다.
위 시에서 '석훈夕暈'은 '석훈夕曛'이니
해 질 녘 황혼이다.

아무리 생각하지 않으려
마음을 다잡아도 저절로 일어나는
생각을 어찌할 수 없다.

그렇게 서로가 간절히 그리워하고 사랑하는데
왜 매번 헤어져야만 하는지
타고난 운명이 기구하다는 표현이다.
시인은 먼저 서녀로 태어나서
적서嫡庶의 차별을 뼈저리게 느꼈을 것인데,
또 본처가 아닌 첩으로 들어갔으니
그 쓸쓸함과 적막함은 미루어 짐작할 수가 있다.

예전에 본처를 두고 첩이 있으면
반드시 본처와 대부분의 시간을 지내고,
첩은 한가롭거나 본처가 자리를 비웠을 때에나
한 번쯤 찾는 것이 당시 선비들의 도의였다.
이는 적자를 생산하여
가문의 후계를 이으려는 의미도 있었지만,
적서의 엄격한 사회적 신분차이 때문이었으며
색을 탐한다는 비난을 면하기 위함이기도 하였다.
하루 종일, 또는 일주일이나 한 달, 또는 몇 개월이나
일 년을 기다리는 일도 많았을 것이다.

술이나 담배를 배워
억지로 외로움과 기다림을 참다가

가지 위 까치소리 들리면 마음이
온통 흔들리는 것이다.
혹시 임이 오시는 것은 아닐까.
헝클어진 모습으로 임을 맞이한다면
임은 얼마나 실망하실까.
젊음과 고움도 점점 시들어 가는데
혹시라도 표가 날까 진한 단장을
베풀어보는 것이다.

임은 안 오실지도 모르건만.

오늘 아침 까치가 울었다.
어지러운 집안을 말끔히 청소하고
단정하게 정돈을 하였다.
거울 앞에 앉아 최대한 고운 단장을 베풀어본다.
오지도 않을 임을 위하여 이렇게 애를 쓰고 있는
내 맘을 임은 알고나 있는지.
그 허탈함과 서러움은
어떻게 말로 표현할 수 있겠는가.

내일 아침에는
제발 까치가 울지 말았으면 좋겠다.
갈 수도 없고 가지도 못하는데
헛되이 나를 기다리는 순이 생각에 마음이 아프다.
까치는 내 마음을 전하려는 것이었을까.

끝없는 사랑

맹교 孟郊, 751~814
〈떠돌이 아들을 위하여 遊子吟〉

인자하신 어머님 손 가운데 실은
떠돌이 아들 몸 위의 옷을 위해서라네.
떠남에 임하여 촘촘히 꿰매심은
마음에 더디게 돌아올까 염려해서이네.
누가 말했던가. 짧은 풀 같은 마음으로
석 달 봄날의 햇볕을 갚을 수 있다고.

慈母手中線　　遊子身上衣
자 모 수 중 선　　유 자 신 상 의

臨行密密縫　　意恐遲遲歸
임 행 밀 밀 봉　　의 공 지 지 귀

誰言寸草心　　報得三春暉
수 언 촌 초 심　　보 득 삼 춘 휘

맹교孟郊 중당中唐의 시인으로 자가 동야東野이다. 대문장가인 한유가 50
세에 처음 과거에 급제하여 53세에야 겨우 변방인 율양현위溧陽縣尉가
되어 떠나는 그를 위로하려 지은 〈송맹동야서送孟東野序〉가 있다.

맹교는 마흔아홉 살에 겨우 진사進士에 합격하였으며,
오십 살에야 대과大科에 합격하여
53세에 율양현위溧陽縣尉라는 변방 말직에 임명되었으나,
이내 그만두고 여생을 불우하게 마쳤다.

이 시는 율양현위가 되었을 때
어머님이 찾아오셔서 지었다고 하였다.
율양현은 지금의 강소성江蘇省 의흥현
서쪽에 있는 고을이다.
맹교가 53세에 생애 최초의 벼슬인
율양현위가 되어 부임하러 떠날 때,
중국 최고의 문장가인 한유韓愈는
명문名文인 〈송맹동야서送孟東野序〉를 지어
그를 위로하였다.

'자모慈母'는 한자 그대로 인자하신 어머님이지만,
비록 인자하지 못하여도 낳아주신 은혜로
자모라 불러주는 경우가 많았다.
'임행臨行'은 떠남을 눈앞에 둔 것을 의미하고
'밀밀密密'은 촘촘한 모양이며,
'지지遲遲'는 느릿느릿한 모양이다.

'춘초寸草'는

 나서 얼마되지 않은 짧은 풀을 의미하여

아주 작은 마음을 나타내고,

'삼춘휘三春暉'는 맹춘孟春 중춘仲春 만춘晚春의

봄 석 달 햇볕을 의미하여

아주 많은 은혜를 나타내고자 하였다.

1련聯은 늙으신 어머님이 나그네 생활을 하는
자식을 위하여 옷을 지으시는 모습을 그렸다.
낯선 땅 낯선 거리를 서성이며
잠잘 곳도 머물 곳도 정처가 없는
나그네 신세인 아들을 위하여
직접 옷을 만드는 어머님의 심정이
말없는 가운데 간절해지고 있다.

2련은 그런 아들의 옷을 바느질하는
어머니의 깊은 마음과 사랑이
한 폭의 그림처럼 펼쳐지고 있다.
한 땀 한 땀 세밀하게 바느질하여 누비는 까닭은
아들의 타관살이가 오래도록 지속되어
옷이 떨어지거나 모자랄 것을 염려한 까닭이다.
곁에 있다면 옷이 해지면
바로 손수 기워줄 수도 있으련만,
객지에 혼자 있으니 쉽게 옷이 상하지 않도록
정밀하게 누비 바느질을 한 것이다.

3련은 어머니에 대한 자식의 효성은
이제 막 싹이 오른 짧은 봄풀과 같고,

어머니의 자식에 대한 사랑은
봄 석 달의 따스한 햇볕과 같으니,
어찌해야 그 은혜에 조금이라도
보답할 수 있겠느냐며
도저히 갚을 길이 없음을 말하고 있는 것이다.

맹자는 인격의 완성체인 군자에게는
세 가지 즐거움이 있다고 하였다.
그중에서도 가장 큰 즐거움으로
첫 번째로 꼽은 것이 부모님이 생존하심이었다.

君子有三樂而王天下　不與存焉
군 자 유 삼 락 이 왕 천 하 　 불 여 존 언

父母俱存　兄弟無故　一樂也
부 모 구 존 　 형 제 무 고 　 일 락 야

군자에게는 세 가지 즐거움이 있는데,
천하에 왕 노릇 하는 것은 여기에 포함되지 아니한다.
부모가 함께 살아계시고
형제가 사고 없음이 첫 번째 즐거움이다.

이 세상에서 부모님이 모두 생존해 계신 것보다

더 큰 즐거움은 없을 것이다.

아버님과 어머님을 부를 수 있다는 것보다
더 행복한 일이 무엇이겠는가.

사람은 자기를 낳아주고 길러주신 부모님이
돌아가신 뒤에야 철이 든다고 하였다.

돌아가신 부모님 생각에 자다가도 벌떡 일어나서
생시에 불효했던 일을 떠올리며 가슴 치며
눈물을 흘리고 후회를 해도, 이제는 소용없는 일이고
또 그 마음이 구천九泉에 통할 리도 없다.

그리고 부모님이 돌아가신 뒤에 철이 든들
무슨 소용이겠는가. 이미 이 세상에 계시지 않은 것을.

살아생전에 부모님의 마음을 상하게 하지 않고
뜻을 받드는 것이
자식의 도리임을 익히 알고 있으면서도
이를 실천하지 못하는 불효는
아파하고 후회할 때는 이미 늦은 것이다.

부자 되고 출세해서 해외여행을 보내드리고
호강을 시켜 드린다는 것은 구차한 변명인 것이다.

처한 환경에서 최선과 정성을 다하는 것이
진정한 효도인 것이다.

오늘 나는 전주에 홀로 계신 어머님을 생각하였다.

낮이면 나뭇가지 위 구름을 바라보고

밤이면 구름사이 달을 바라보며,

나그네로 길을 떠난 자식을 생각하실 것이다.

비록 사람의 길을 찾는 길이고

맑음으로 세상을 물들인다며 떠난 길이지만,
어머님에게는 그저 정처 없고 고달픈 길을 가는
자식일 뿐이다. 어머님과 순이가 보고 있을
하얀 달과 붉은 구름을 바라보다가
흐르는 눈물이 옷깃을 적심을 깨닫지 못하였다.

강물에 마음을 띄우고

사랑의 조건

신위 申緯, 1769~1845
〈변승애에게 贈卞僧愛〉

담박하게 다듬은 아리따운 눈썹 하얀 모시적삼
충정을 하소연하는 정겨운 이야기
제비가 재잘 거리는 듯하네.
아름다운 여인이여 내 나이를 묻지 말게나.
오십 년 전에는 스물 셋이었다네.

澹掃蛾眉白苧衫　　訴衷情話燕呢喃
담 소 아 미 백 저 삼　　소 충 정 화 연 이 남

佳人莫問郎年歲　　五十年前二十三
가 인 막 문 낭 연 세　　오 십 년 전 이 십 삼

신위申緯 조선 후기의 문신으로 당시 시서화詩書畵 삼절三絕로 일컬어졌
으며, 특히 신라의 최치원부터 당시까지의 시인을 평가한 〈논시절구論
詩絕句〉는 유명하다. 구한말 창강滄江 김택영은 우리나라 최고의 시인으
로 자리매김하였다.

조선 후기의 시인으로
시서화詩書畫 삼절三絶로 불리어진
자하紫霞 신위의 〈증변승애贈卞僧愛〉이다.
자하는 어려서부터 신동으로 일컬어졌으며,
시서화 중에서도 시는 신묘한 경지에 이르러
후대 시인들이 모범으로 삼았다고 한다.

이 시는 변승애란 여인이 그를 곁에서 모시면서
필묵筆墨의 심부름이라도 하겠다고 하자,
은근히 거절하며 지어준 시라 한다.
기구에서 '담소澹掃'는 눈썹을 담박하게 제거하는 것으로
눈썹 손질을 의미하고, '아미蛾眉'는
나방의 더듬이처럼 가늘고 아리따운 눈썹을 가리킨다.

승구에서 '연이남燕呢喃'은 제비가 재잘거리는 소리로,

여기서는 아리따운 아가씨가 자기의 충정을

하소연하는 모양을 묘사한 것이다.

전구의 '가인佳人'은 아리따운 여인을 의미하는데,

예전에 속언에 여자는 미모로 평가하고

남자는 재능으로 평가한다는 말에서 연유緣由한 것이다.

흔히 뛰어난 남녀를 표현할 때,
'재자가인才子佳人'이라고 하는 것이 이것이다.
사랑에는 노소老少도 미추美醜도 국경도 없다.
거울 앞에 앉아 눈썹을 곱게 다듬는 것은
임에게 잘 보이기 위함이다.
그녀는 한껏 눈썹을 뽑고 나방의 더듬이마냥
가느다랗고 둥글게 눈썹을 그려 넣었다.
그리고는 시인 앞에 앉아서 자기는 딴 마음은 없고
오직 당신을 존경하여 필묵의 심부름이라도 하며
옆에서 돕겠다며, 제비처럼 때로는 속삭이고 때로는
재잘거리며 정을 듬뿍 담아 이야기를 하고 있다.

아무리 무쇠 같은 남자라 하더라도
어찌 흔들리지 않을 수 있겠는가.
마음은 이미 그녀를 허락하고 더 친밀하게
지낼 수도 있다고 말하고 싶었을 것이다.
그러나 시인은 전혀 엉뚱한 이야기를 꺼내었다.
아름다운 여인에게
나의 나이를 묻지 말라고 한 것이다.
그러면서 오십 년 전에는 자기도 스물셋이었단다.
사실 마음속에는 자신이

지금 스물셋의 한창나이였다면, 그녀와 멋진 사랑을
이루어보고 싶다는 아쉬움이 들어있는 것이다.
아니 오십을 빼고 한 번 멋진 사랑을
이루어보자는 권유일지도 모른다.
나도 가끔은 나이를 초월한 사랑을 꿈꾼다.
곱고 젊은 여인을 보면 마음이 흔들린다.
자꾸만 나이를 숨기고 싶은 것은
이러한 마음 때문은 아니었을까.

선비로 도에 뜻을 두고 부동심不動心을
가져야 하건만, 아름답고 젊은 여인 앞에서
자꾸만 흔들리는 것은 나도 남자이고
사람이기 때문이라고 구차한 변명을 해 본다.
그것도 사람의 길일까.
아니면 맑음에서는 용납이 되지 않는 것일까.

오늘 밤 꿈속에서
화담花潭과 율곡栗谷과 다산茶山을 만나게 된다면,
반드시 그들이 그러한 까닭을 물어보고 싶다.
순이는 아직도 기다리는데
이런 생각을 하는 나를 용서할 수 있을까.

임을 떠나던 날

이만용 李晚用, 1792~미상
〈대동강 배 안에서 大同江舟中作〉

퉁소소리 정에 엉겨 물도 흐르지 못하니
절반의 강은 석양이고 절반의 강은 근심이구나.
외로운 배 저절로 멀리 떠나가니
나를 보내고 어떤 사람 다시 누각에 기대었는가.

簫管凝情水不流　　半江斜日半江愁
소 관 응 정 수 불 류　　반 강 사 일 반 강 수
孤舟自向遙遙去　　送我何人更倚樓
고 주 자 향 요 요 거　　송 아 하 인 갱 의 루

이만용李晚用 조선 후기의 문신으로 자는 여성汝成이며 호는 동번東樊이
다. 시문詩文을 잘하여 조선 후기 사대가四大家로도 불리어지며, 명류名流
와 주고받은 시가 많다.

떠나는 사람과 보내는 사람의 뜨거운 정이
그렇지 않아도 처량한 퉁소 소리에 엉기어,
흐느끼듯 목이 메니
강물도 함께 엉기어 흐르지 못한다.
강물의 절반은 충혈된 눈동자처럼 붉은 석양이
비쳐있고, 나머지 절반은 어둑한 모습이
마치 근심으로 빠져들고 있는 듯하다.

이별 앞에서 강은 결국 서로의 마음인 양
어둠에 덮이고 말 것이다.

나루터에서의 이별에 못내 아쉬워
떠나가는 임의 모습을 지켜보려
언덕 위 누각에 오른 것이다.
그 사람은 멀어져가는 배를 끝없이 바라보며
기둥에 몸을 기대고 앉아 있을 것이다.
수평선 너머 배가 사라질 때까지 지켜보고 있을
그 사람을 마음속으로 그려본다.

언덕 위 누각 다시 한 층을 오름은
천 리 밖으로 눈을 다하기 위함이고
굳이 임을 '어떤 사람'이라 한 것은
이심전심으로 안타까움을 표현하고자 한 것이다.
퉁소 소리는 원래 애절함을 지니고 있는데
이별 앞에서의 곡조는 어떠하겠는가.
아득하게 퍼져갈수록 그 애절함은 더욱 짙어갈 것이다.

오늘 밤 선친께서 불던 퉁소를 꺼내어 보아야겠다.
어설픈 솜씨로 연가戀歌를 한 곡조 연주하고 싶다.

과연 누가 있어 화답할 것이며
누가 있어 같이 흐느껴줄 것인가.

순이도 저 달을 보고 있을까.
어디선가 들려오는 퉁소소리를 들을 수 있을까.
저 바람이 내 맘을 전할 수 있으려나.

임을 전송하며

김종서 金宗瑞 1383~1453
〈남포에서 南浦〉

임을 보내는 강 머리 이별의 한 많으니
관현도 슬픔에 끊겨 노래를 이루지 못하네.
하늘이 바람신으로 하여금 나아감을 막으려는지
한 저녁 대동강은 늦은 물결 일어나네.

送客江頭別恨多　　管絃凄斷不成歌
송 객 강 두 별 한 다　　관 현 처 단 불 성 가

天敎風伯阻征斾　　一夕大同生晚波
천 교 풍 백 조 정 패　　일 석 대 동 생 만 파

김종서金宗瑞 조선 전기의 문신으로 1433년 야인들의 침입을 격퇴하고
6진을 설치하여 두만강을 경계로 국경을 확정하였다. 수양대군에 의
하여 1453년 두 아들과 함께 집에서 격살되고 대역모반죄라는 누명까
지 쓰고 효시됨으로써 계유정난의 첫 번째 희생자가 되었다.

조선 전기의 문관이며 무장인
절재節齋 김종서의 〈남포南浦〉이다.
이 시는 정지상의 〈대동강〉 시를 차운한 것이다.

이별은 예나 지금이나 같은가 보다.
임을 전송하는 강 머리에 서 있으니,
눈물이 앞을 가리고 콧물이 입을 가린다.
어느덧 슬픔은 한이 되고
한은 서러움이 된다.
서러운 마음을 악기에 담아보지만
제대로 곡조를 이루지 못하고
노래로 불러보지만 노래도 제대로 이어지지 못한다.
흐느낌과 떨림으로 가락도 흩어지고 목이 멘다.

하늘도 무심하지 않은 것인가.
떠나는 임을 막으려는 것인지
저물녘 강가를 향해 바람이 분다.
그렇다고 떠나지 않을 임이 아니 건만
그래서 더욱 서러운 물결이 인다.
대동강의 물결은 파랗게 멍이 들어도
푸른 물결 무정하기만 하다.

강물은 그때처럼 바람도 없고 말도 없다.

강물 위 구름도 예전처럼 유유悠悠하다.

내 귀에 강물 소리가 우는 소리로 들리는 건

내 마음이 울고 있기 때문일 것이다.

임을 그리며

장연우 張延佑, 미상~1015
〈한송정에서 寒松亭曲〉

달 밝은 한송정의 밤
물결도 잔잔한 경포대의 가을.
슬피 울며 오고가는
신의 있는 한 마리 모래 위의 갈매기.

月白寒松夜　　波安鏡浦秋
월 백 한 송 야　　파 안 경 포 추

哀鳴來又去　　有信一沙鷗
애 명 래 우 거　　유 신 일 사 구

장연우張延佑 고려 전기의 관인으로 1010년 거란의 침략으로 현종이 남
쪽으로 몽진할 때 호종하였다.

고려 현종 때의 대신大臣인

충숙공忠肅公 장연우의 〈한송정곡寒松亭曲〉이다.

이 시는 원래 작자 미상의 고려가사인데,

《고려사》〈악지〉에 의하면

이 노래가 거문고 밑바닥에 적혀있어

중국 강남에 흘러들어 갔는데,

향찰鄕札로 적혀있어 아무도 그 뜻을

해석하지 못하다가, 그곳으로 사신을 간 장연우가

이를 한시로 풀어냈다고 한다.

경포대의 달빛 밝은 밤 홀로 한송정에 올랐다.

난간에 기대어 그 옛날 이곳에서 함께 했던

그 임을 그리고 있다.

마침 밤하늘에는 한송정 가를 오고 가며

울고 있는 한 마리의 갈매기가 있었다.

그 옛날,

다정했던 우리들의 곁을 노래하듯 춤추며

짝을 지어 넘나들던 그 갈매기인가.

또 지금은 저도 짝을 잃고 나와 같이 임 그리워

저리도 슬피 울며 찾아다니고 있는 것이겠지.

밤하늘을 누비는 저 갈매기의 처지가

마치 나의 처지와도 같아 동지처럼 느껴지는 것이다.

갈매기는 시에서 대부분 그리움의 대상이거나
소식과 희망의 상징이다.
그런데 시인은 여기서 엉뚱하게도
신의의 상징으로 갈매기를 거론하였다.

가끔 배를 타고 강을 건널 때,
갈매기가 친근감을 표시하더니
신의가 같아서였던가.
저도 옛 임 그리는 내 맘을 알아서였음이고
저도 그리는 옛 임이 있었음이로다.
그 임과 강가에서의 추억이 같아서였음이고
그때의 굳은 약속이 같았음이리라.

강을 건널 때마다 고개를 들지 못함은
고인 눈물 때문이었는데,
갈매기도 그때마다 물을 스치고 날아감은
저도 눈물을 감추려 함이었을까.
순이는 이런 내 맘을 알고 있을까.

오늘도 출렁이는 물결 따라
저렇게 그리는 정이 푸르게 흔들리고 있는데.

말없이 떠난 임

백광훈 白光勳 1537~1582
〈용강에서의 이별 龍江別成甫〉

천 리 길 임을 어찌 이별하나.
일어나 보니 한밤 떠나가네.
외로운 배 가서 이미 멀어지고
달이 지는 차가운 강 울고 있구나.

千里奈君別　　起看中夜行
천 리 내 군 별　　기 간 중 야 행

孤舟去已遠　　月落寒江鳴
고 주 거 이 원　　월 락 한 강 명

백광훈白光勳 조선 중기의 시인으로 자는 창경彰卿이고 호가 옥봉玉峯이며 최경창과 이달과 더불어 삼당시인三唐詩人으로 불리어졌다.

조선 중기 처음으로 성당풍盛唐風의 시를 구사하여
손곡 이달과 고죽 최경창과 더불어
삼당시인으로 불리어진
옥봉 백광훈의 〈용강별성보龍江別成甫〉이다.
'용강'은 지금의 용산 근처 한강을 말한다.

떠나려는 임을 차마 보내지 못하여
차일피일 미루고 보내지 아니했더니,
어느 날 한밤 일어나보니
나 몰래 임은 길을 떠나고 있다.
아마도 서로 마주 보면
차마 헤어질 수가 없었음이리라.

부리나케 강가로 달려가 보니
임 실은 외로운 배는 이미 멀어져갔고,
멍하니 서 있는 강가에는 차가운 강물 속으로
달이 지고 강물은 달을 품고 서러운 울음을 운다.
불러볼 수도 없고 따라갈 수도 없다.

임은 이제 천 리 먼 길을 떠났으니,
어쩌면 살아있는 동안 다시는 만나지 못할 것이다.

보낼 수밖에 없어 임을 보내지만
이제 밤마다 잠을 이룰 수 없을 것이고
가슴은 아픔으로 남아나지 않을 것이다.

여기에서 시인은 이별에 대한
직접적인 언급을 피하고 시간적 이미지와
청각적 이미지로 슬픔을 표현하였다.
이별의 아픔을 한마디도 하지 않으면서
독자로 하여금 직접 귀로 듣고
눈으로 보고 느끼게 하였던 것이다.

마주하고는 차마 보낼 수 없는 사람.
한밤 몰래 떠나야 하는 사랑.
그런 사랑은 어떤 사랑일까.

오늘 나는 먼 산에 걸린 구름을 보았다.
내 마음인 양 저 강물은 흐느끼듯 울음소리를 내며
아득하게 순이가 기다리는 곳을 향하여 흘러가리라.
그래도 달이 지고 강물이 울음소리를 내는 한밤
우두커니 앉아 그리움에 눈물이 흐르는 것은
달을 삼킨 서러움에서였을까.

저 달을 멀리 순이도 보고 있을 것이다.

달이 흐느끼는 소리는 또 어떠할까.

이제 달뜨는 저녁에는

강물 소리를 들을 수 없을 것이다.

달빛 부서지는 그 물빛도 차마 볼 수 없는데,

달이 물속으로 지는 것을 어찌 볼 수 있겠는가.

거울

최기남 崔奇南, 1586~1665
〈그리운 임 怨詞〉

저에게 아름다운 거울이 있어
처음 줄 때 임의 모습 그립습니다.
임은 가고 거울만 부질없이 남았으니
다시는 고운 눈썹 거울에 비추지 않으리라.

妾有菱花鏡　　憶君初贈時
첩 유 능 화 경　　억 군 초 증 시

君歸鏡空在　　不復照蛾眉
군 귀 경 공 재　　불 부 조 아 미

최기남崔奇南 조선 선조 때의 서민 출신 시인으로 자는 영숙英叔이고 호
가 귀곡龜谷이며, 유희경과 백대붕과 더불어 시사詩社를 만들어 활동하
였다.

조선 중기의 시인이며 광해군 때 문관이었던
귀곡龜谷 최기남의 〈원사怨詞〉이다.

기구의 '능화경'은 마름이 새겨진
거울로도 볼 수 있으나
아름다운 거울의 별칭으로도 쓰인다.
결구의 아미는 나방의 더듬이처럼
가늘고 긴 눈썹을 말한다.
여인에게는 예쁜 거울이 있다.
그것은 임이 주신 것이다.

그녀는 지금 예전에 사랑을 속삭이며
그 거울을 사주었던 임을 생각한다.

임이 그 거울을 사줄 때는 자기를 위하여
곱게 단장하라는 의미가 있었을 것이다.
그런데 임은 나를 떠나갔다.
임이 떠나고 없는 지금, 아름다운 단장이
무슨 소용이란 말인가.

사마천의 《사기》 〈자객열전〉에
"여위열기자용女爲悅己者容"이란 말이 있다.
곧 여자는 자기를 기쁘게 해주는 사람을 위하여
꾸민다는 것이다.

그런데 그녀는 지금 아름답게 단장하여
보여줄 사람도 없고,
한때는 그 거울 앞에 앉아 열심히 단장하던
자신의 모습을 생각하며 슬픔에 잠겨있다.
그녀는 돌아오지 않는 임과 아무것도 할 수 없는
자신에 대한 원망으로 나날이 시들어 간다.

오늘 나는 시골 5일 장에 가서
꽃무늬가 아로새겨진 조그맣고 예쁜 거울을 살 것이다.
언젠가 그녀를 만나면 나를 위해
아름답게 단장해 달라고 말하고 싶다.
누군가를 위해 자신을 아름답게 단장하는 일은
분명 행복한 일일 것이다.
그게 나라면 더욱 좋겠지만, 굳이 내가 아니어도 좋다.

그 애틋한 마음과 마음이 있으니
나는 오늘 혼자서라도 거울을 보고 싶다.
순이도 그때 내가 주었던
거울을 보며 나를 그리고 있을까.

임과의 이별

하응림 河應臨, 1536~1567
〈임을 전송하다 送友〉

허둥지둥 헤어진 서교의 이별
가을바람에 나누는 술 한 잔.
청산엔 임 보이지 않고
석양에 혼자서 돌아오네.

草草西郊別　　秋風酒一杯
초 초 서 교 별　　추 풍 주 일 배

青山人不見　　斜日獨歸來
청 산 인 불 견　　사 일 독 귀 래

하응림河應臨 조선 명종 때의 문장가로 자는 대이大而이고 호가 청천菁川
이며 문장으로 이름이 높아 귀봉龜峯 송익필宋翼弼 등과 8문장으로 불리
어졌다.

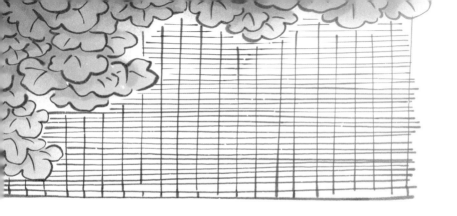

조선 중기의 문장가이며 8문장으로

불렸던 청천菁川 하응림의

〈송우送友〉이다.

갑자기 떠나신다는 임을 따라
허둥지둥 나선 것이 서쪽 교외에 이르렀다.
오늘따라 가을바람은 쓸쓸하게 부는데,
길목 주막에 앉아 임과 이별주 한 잔을 나누고
멀어져가는 임의 뒷모습을 망연히 바라보고 있다.
어느덧 가물가물 멀어지더니
산모퉁이를 돌아 이내 사라져버렸다.
해는 기울어 석양인데 혼자서 터덜거리며
돌아오는 길은 멀기만 하다.
32세의 나이로 요절할 자신의 운명이라도
알았던 것일까.

처음부터 끝까지 쓸쓸하기만 하다.

허균은 《국조시산國朝詩刪》에서

"거의 만장에 가깝다."고 하였고

유몽인은 《어우야담於于野談》에서

"어쩌면 그가 얼마 아니하여 죽으리라는 것을

아는 이는 알았을지도 모른다."고 하였다.

그러나 이수광은 《지봉유설芝峯類說》에서

"당시唐詩만큼이나 아름답다."라고 평하였으니

시는 보는 사람의 안목에 따라

평가도 달라지나 보다.

요절할 운명을 알았다는 것은

사실 얼마 되지 않아 죽었기 때문에 나온 평이겠지만,

시에서 느껴지는 그 쓸쓸함과 애잔함은

시를 읽는 사람으로 하여금 같이 빠져들게 하니,

이별을 직접 접한 시인의 마음이야 오죽했을 것인가.

바람은 지금도 그러하니,

오늘 저 푸른 산모퉁이를 차마 마주하지 못할 것이다.

그때처럼 임이 사라져 가고

홀로 터덜거리며 돌아오리니,

순이를 그리워함이 이토록 깊었던가.

돌아갈 수 없는 내 심정이 시인과 닮았다고 위안해본다.

애타는 기다림

노수신 盧守愼 1515~1590
〈임을 기다리며 十三日到碧亭待人〉

새벽달 부질없이 그림자 하나 가지고 가니
노란 국화와 빨간 단풍 정녕 정을 머금었구나.
구름 속 모래밭 물어볼 사람도 없고
언덕 위 누각 기둥마다 두루 기대고 있네.

曉月空將一影行   黃花赤葉政含情
효 월 공 장 일 영 행   황 화 적 엽 정 함 정

雲沙目斷無人問   倚遍津樓八九楹
운 사 목 단 무 인 문   의 편 진 루 팔 구 영

노수신盧守愼 조선 중기의 학자이며 문신이다. 호는 소재蘇齋이며 을사
사화 때 순천으로 유배 갔다가, 양재역 벽서사건으로 진도에 옮겨 19
년간 귀양살이를 하였다.

호음 정사룡과 지천 황정욱과 더불어
당대에 호소지로 불리고
조선 중기의 명신이며 시인이었던
소재 노수신의 〈십삼일도벽정대인〉이다.

시인은 19년간을 진도에서 귀양살이를 하였다.
13일 날에 임이 찾아온다는 소식을 들었다.
얼마만의 만남이던가.
아는 사람 아무도 없는 남해 외로운 섬에서의
만남이니 설레지 않을 수 없었을 것이다.
전날 밤을 뜬눈으로 새우고
새벽부터 임을 마중하러 길을 나섰다.
새벽달은 그 처연한 빛을 발하고 있고
그 달빛에 그림자 하나 동반하여 걷는
그 외로움 속에서, 임을 만날 설렘에
눈에 들어오는 모든 것이 사랑스럽기만 하다.

길가에 스치는 노란 국화와 빨간 단풍잎도
정을 듬뿍 머금고 있는 것만 같다.
나루터 벽파정에 올라
임이 건너올 바다 저편 모래사장을 바라본다.

파란 물결 저편 구름 속에 잠긴 모래사장은
눈을 다하여도 끝이 보이지 않는다.
도대체 임은 오시는 건지 오지 않는 건지
물어볼 데도 없다.

난간을 서성이며, 답답한 마음에
여덟인지 아홉인지 누각의 기둥마다
이리 기댔다가 저리 기댔다가 하면서 바라보지만,
마음은 더욱 착잡할 뿐이다.

오늘 밤 달이 뜬다면 그림자 벗 삼아
저 강가를 거닐다가, 그곳 누각에 올라
강 건너 안개에 가린 물가를 바라보고 싶다.
혹 임도 내가 그리워
저 강 끝 모래언덕에 나와 있을지도 모른다.
만약 그 강가에서
우연이라도 순이를 만나게 된다면,
아무 말 없이 그저 두 손으로 물을 움켜
그 속에 달을 담아주고 싶다.

잠 못드는 밤

이매창 李梅窓, 1573~1610
〈가을 밤 秋夜〉

이슬 젖은 푸른 하늘 별들은 하늘에 흩어지고
변방 구름 가장자리 한 소리 기러기의 울부짖음.
매화가지 끝 흐린 달 난간에 옮겨오고
고운 거문고 연주 끝내고 잠들려하나 잠이 오질 않네.

露濕靑空星散天　　一聲叫雁塞雲邊
노 습 청 공 성 산 천　　일 성 규 안 새 운 변

梅梢淡月移欄檻　　彈罷瑤箏眠未眠
매 초 담 월 이 난 함　　탄 파 요 쟁 면 미 면

이매창李梅窓 조선 중기의 여류시인이며 황진이와 더불어 명기로 이름
을 떨쳤다. 매창梅窓은 그녀의 호이며 자는 천향天香이다. 특히 시와 거
문고에 뛰어 났다고 전해진다.

조선 중기, 최고의 여류시인이며
최고의 기생이었던, 이매창의 〈추야秋夜〉이다.
위 시에서 '요쟁瑤箏'은 옥으로 만든 아쟁이라고
번역을 해야 하나,
여기서는 고운 거문고로 보아야 할 것이다.

가을밤의 이슬은
나뭇잎과 풀잎은 물론, 모든 사물을 적신다.
하늘도 잔뜩 물기를 머금어
흩어져 빛나던 별들마저
이슬에 젖어가고 있는 듯하다.
그 끝, 어디론가 날아가는 기러기들은
긴 한 소리를 울부짖으며 아득히 사라져 간다.
하늘 한구석 허허로운 들판,
매화나무 끝에 걸린 흐린 달은
점점 난간으로 기울어진다.
그달이 지는 새벽녘,
밤새워 그리움 담아 달을
향해 튕기던 거문고 가락도 그 곡조를 다한다.
조금이라도 눈을 붙여보려 잠자리에 누워보건만
잠마저 무정하다.

새벽 한 시를 넘어가는 시간에
나는 누구를 그리워하며 잠 못 들어 하는가.
흐린 하늘에는 별도 보이지 않고
바람도 잔잔하여
임의 소식도 그 향기도 찾을 길이 없으니,
잠들고자 하여도 어찌 잠들 수 있겠는가.
고향의 순이도 그러할까.

가물거리는 등불 앞에 앉아 나를 그리고 있으려나.
어둠 속 말없이 바라보다가
촉촉이 젖어가는 마음은 이슬 때문이라고 탓해본다.
밤이 온통 젖어 가나보다.
아니, 세상이 젖어 가나보다. 내 마음이 그런 것인가.

이별의 아픔

이숙원 李淑媛 조선 중기
〈한스런 이별 恨別〉

평생 이별의 한이 몸의 병을 이루어
술로도 고칠 수 없고 약으로도 다스리지 못하네.
이불속 울음은 얼음아래 물과 같아서
밤낮으로 길게 흐르건만 남들은 알지 못하는구나.

平生離恨成身病　　酒不能療藥不治
평 생 이 한 성 신 병　　주 불 능 료 약 불 치

衾裏泣如氷下水　　日夜長流人不知
금 리 읍 여 빙 하 수　　일 야 장 류 인 부 지

이숙원李淑媛 호는 옥봉玉峯으로 양녕대군의 고손자인 옥천군수 자운子
雲 이봉의 서녀였으며 남명南冥 조식의 문인인 운강雲江 조원의 첩이 되
었다. 시에 능하여 중국의 《명시종》《열조시집》《명원시귀》 등에 실려
알려졌으며, 국내에는 32편이 수록된 《옥봉집》이 조씨 가문의 문집인
《가림세고》의 부록으로 실려 전하고 있다.

시인은 우연히 사소한 사건으로
남편에게 버림받은 후, 다시 찾아오겠다는
남편의 말을 믿고 날마다 기다리는 삶을 살았다고 한다.
그런데 다음 해 봄에 찾아오겠다는 남편은
다음 해가 지나도 또 그다음 해가 지나도
끝내 오지 않았다.
기다림과 외로움은 결국 마음의 병이 되었고,
마음의 병은 몸의 병이 되고 말았다.

술로 잊어보려 했지만
술을 아무리 마셔도 취하지 않고,
또 취하면 취할수록 더욱 그리움만 깊어갔다.
약으로 다스려볼까도 했지만
무슨 약을 어떻게 먹어야 하는지 도대체 알 수가 없었다.
한겨울 얼음이 얼면 사람들은 모두 얼음만 보고
겨우내 그 아래로 흐르고 있는 물은 알지를 못한다.

마찬가지로 시인은 밤낮으로 이불 속에서
서러운 눈물을 흘리건만,
사람들은 겉으로 보이는 모습만을 보고
그 이불 속에서의 슬픔은 알지를 못하였다.

밤마다 베개를 적시며 그리움에 잠 못 이루지만,
아침이면 남이 알까 봐 거울 앞에 앉아 진한 화장을 한다.
나날이 곱던 젊음도 시들어가고
아름답던 얼굴은 수척해지고 있는데,
임은 영영 올 줄을 모른다.

어렸을 때 선친이 돌아가신 뒤,
사람을 가까이하지 못하였다. 이별이 두려워서였다.
사랑하는 사람과 이별한다는 것은
너무나 어려운 일이다.
더구나 다시는 만날 수 없는 경우는
창자가 끊어지는 아픔이다.
옥봉은 임과 한 번 이별한 뒤,
다시는 만날 수 없었다고 하니
나는 이보다는 나은 것일까.
아직도 순이는 내가 떠나오던 그 강가에서
그 골목 입구에서 서성거리며
기다리고 있을 것이기 때문이다.
내 마음 이미 병든 지 오래 이고
창자는 끊어 질대로 끊어져
더 이상 끊어질 창자도 남아있지 않지만,

그래도 언젠가 돌아가

순이를 만날 수 있다는 희망이 있으니

이불 속 울음이 헛되지만은 않은 것이다.

네번째

달을 보며 눈물 흘리네

그리움의 노래

임제 林悌 1549~1587
〈무제 無題〉

금대에서 그리운 임과 한 번 이별한 뒤
비단 버선 잔물결은 꿈속의 봄이로다.
동호를 향하여 소식을 묻고자 하여도
차가운 조수 광릉진에 오르지 않네.

琴臺一別眼中人　　羅襪微瀾夢裏春
금 대 일 별 안 중 인　　나 말 미 란 몽 리 춘

欲向東湖問消息　　寒潮不上廣陵津
욕 향 동 호 문 소 식　　한 조 불 상 광 릉 진

임제林悌 호는 백호白湖이며 동서붕당東西朋黨의 파쟁派爭을 개탄하여 벼슬
을 버리고 강호를 방랑하며 호방한 시풍과 뛰어난 문장으로 당대에 드
날렸다.

조선 선조 때의 천재시인인
백호白湖 임제의 〈무제無題〉이다.
'무제'는 '제목이 없다'는 뜻이지만,
사실은 제목을 하나로 잡을 수 없다는 것이니
많은 뜻을 내포하고 있는 것이다.
따라서 제목을 붙이는 것은 독자의 몫인 것이다.

기구起句의 '금대琴臺'는 서한의
사마상여와 탁문군의 애정고사愛情故事로 유명한 곳이다.
탁문군은 탁왕손의 딸로 청상과부가 되어
친정에 와 있었다.
그녀의 아름다운 자태에 반한 사마상여는
금대에 올라 자신의 감정을 담은 곡조를 연주하였다.
음악에 조예가 깊었던 탁문군은 거문고 소리를 듣고
그밤에 사마상여에게로 달려가
부부의 인연을 맺었다고 한다.

승구承句의 '나말미란羅襪微瀾'에도 고사가 있어
전설상의 임금인 복희씨의 딸이 낙수에 빠져 죽어서
낙수의 여신이 되었는데,
안개가 낀 날에는 비단버선을 신고

물결 위를 가볍게 거닐며 노닌다고 한다.

금대에서 사랑하는 임과 함께

거문고를 연주하며 놀았다.

그녀는 때로는 옆에 앉아

같이 거문고를 연주하기도 하고,

때로는 내가 연주하는 거문고 곡조에 맞추어

잔물결 위를 거닐듯이 가볍게 춤을 추었다.

그래서 '금슬지락琴瑟之樂'이란 말이 있었던가.

지금, 그녀는 떠나가고 어디에서도

그 자태를 찾을 길이 없다.

*금슬지락琴瑟之樂 : 두 대의 거문고로 가장 좋은 화음을 내는 것. 또는 부부나 친
　구간의 두터운 정분을 나타냄

그저 꿈속에서만 희미한 기억으로 남아있을 뿐이다.

잠에서 깨어난 그는 혹시나 하는 마음에
그녀의 소식을 듣고자 동호에 나아가려 하였다.
그러나 그가 있는 광릉진에는
조수마저 올라오지 않아
배를 띄울 수가 없고,
차가운 물만 출렁거리고 있어
동호로 가려는 희망은 절망이 된다.

오늘도 안개 낀 광릉진에는
하염없이 동호를 바라보며
학수鶴首하고 극목極目하며 그가 서 있을 것이고,
그의 등 뒤로 차가운 바람결에
슬픈 거문고소리 들려오는 듯하다.

이 밤, 사람 자취 끊어졌는데
개구리는 뭐가 그리 서럽다고 울어대는지 모르겠다.
그리고 달도 없는 하늘은 왜 그리도 쓸쓸한지,
창가로 눈을 다해 보지만
거리는 가로등 불빛 아래 안개가 내리고 있다.

저 검은 하늘 아래
멀리서 순이도 잠 못 이루며,
수심과 밤이 누가 더 깊은지 헤아리고 있을 것이다.
그렇게 한때의 청춘은 저물어간다.
굳이 '춘春'이 술을 뜻하는 말임을 말하지 않아도
술이 없는 밤은 꿈도 없으리라.

비단버선

강세황 姜世晃, 1713~1791
〈무제 無題〉

우아한 비단 버선 나풀나풀 가시더니
한 번 중문을 들어서선 문득 아득하구나.
오직 다정함 잔설이 존재함에 있어
나막신 자국 낮은 담장 가에 남아 찍혀있네.

凌波羅襪去翩翩　　一入重門便杳然
능 파 나 말 거 편 편　　일 입 중 문 변 묘 연

惟有多情殘雪在　　屐痕留印短墻邊
유 유 다 정 잔 설 재　　극 흔 유 인 단 장 변

강세황姜世晃 호는 첨재添齋이며 조선 후기의 문인으로 화가이며 평론가였
다. 남종문인화풍을 정착시켰으며, 진경산수화를 발전시켰고 풍속화와
인물화를 유행시켰다.

조선 정조 때에 서화가로 이름 높았던
표암豹菴 강세황의 〈노상소견路上所見〉이다.

여기서 '능파凌波'는 여자의 걸음이 가볍고 우아함을
형용하는 말이고, '편편翩翩'은 빨리 날아가는 모양이니
빨리 떠나가는 모양으로 표현된 것이고,
'묘연杳然'은 아득한 모양이다.

나풀나풀 나는 듯이 걸어가는
아가씨의 뒷모습이 너무 아름다워,
그만 자기도 모르게 따라오고 말았다.
그러나 그녀는 아는지 모르는지
뒤도 한 번 돌아보지 않고 대문 안으로 사라져갔다.
중문이란 표현은 예전 지위가 높거나 부유한 집에
설치한 대문 안에 있는 또 하나의 대문이니,
곱고 귀하게 자라며 철저한 규수수업을 받은
아가씨가 분명하리라.

굳게 닫힌 대문을 바라보며
혹시 도로 나오지나 않을까,
혹 담장 너머로 쪽지라도
보내오지 않을까 설레며 서성이다가,
문득 담장 밑 아직 남아있는 눈 위에 선명하게
찍혀있는 그녀의 발자국이 눈에 들어왔다.

눈 위에 남은 그녀의 발자국은 많은 것을 생각하게 한다.
시인은 굳이 '다정함'이라고 표현하여
스스로의 허탈함을 달래고 있으나, 그녀가 남긴
발자국은 그의 마음을 밟은 것은 아니었을까.

결구結句의 '낮은 담장'에는 보통은 안에서
밖을 감시하거나 전망을 좋게 하기 위한 배려이다.
그러나 여기에서는 거꾸로 밖에서 안을 들여다보고
싶은 마음을 표현하기 위한 수단으로 사용되었다.
물론 그녀가 살며시 밖의 동정을 살필 수도 있겠지만,
그녀는 바깥문만이 아니고 중문까지 닫아걸었으니,

그가 그녀를 향한 마음의 간절함을 표현한 것으로
보아야 할 것이다.
잔설 위에 남겨진 무심한 그녀의 발자국 위로
사랑은 설레며 흔들리고 있다.

고교시절, 가볍게 살랑거리며 걸어가는 뒷모습이
너무 아름다워 무심히 따라갔던 그녀는
어느 골목을 지나 대문 안으로 사라졌었다.
멍하니 한참을 서있던 내 앞에 다시 살며시 문을 열고
그 고운 모습을 드러낸 그녀는
지금은 어디서 어떤 모습으로 살고 있을까.

설레던 그때 그 마음이 다시 살아나는 건
눈길 위에 보이는 낯선 여인의 발자국과
그 향기 때문은 아닐 것이다.
순이도 그날 내가 떠나올 때 남긴 발자국을 보며
설레는 마음을 간직했을까.
오늘밤도 맨 정신으로는 잠을 이루기 어려울 것 같다.

기다리는 마음

김극검 金克儉, 1439~1499
〈여자의 마음 閨情〉

겨울옷 줄 곳도 없는데
부질없이 한밤을 재촉하여 다듬질을 하네.
밝은 등잔불 도리어 저와 같아
눈물 다하니 문득 심지를 태우네.

未授三冬服　　空催半夜砧
미 수 삼 동 복　　공 최 반 야 침

銀釭還似妾　　淚盡却燒心
은 강 환 사 첩　　누 진 각 소 심

김극검 金克儉 조선 전기의 문신으로 호는 괴애乖崖이며 문장에 능하였고
성품이 청렴하며 강직하였다.

조선 세조 때에 장원급제하여
호조참판과 대사헌을 지낸
괴애乖崖 김극검의 〈규정閨情〉이다.
김극검은 청렴하여 매우 가난하였고,
시풍은 화려하면서도 평이하다는 평이 있다.
기구起句의 '삼동三冬'은 맹동孟冬 성동盛冬 계동季冬의
삼동이니 겨울 3개월을 뜻하고,
전구轉句의 '은강銀釭'은 밝은 등잔불을 의미한다.

깊어가는 밤,
잠 못 이루고 다듬질을 하는 여인이 있다.
그러나 지금 다듬질하는 겨울옷은
결국 임께 보내지 못할 것이라는 사실을
그녀도 이미 잘 알고 있다.
보내고 싶지만 보낼 곳을 알지 못하여
보낼 방법이 없는 것이다.
그래도 혹시나 하여 부질없이 그녀는
 밤을 재촉하여 다듬질로 지새운다.

이는 시름을 잊고자 함이며
사회와 주변에 대한 불만과 원망의 방망이질이다.

그녀 곁을 지키는 것은 다만 등잔불이 있을 뿐이다.
밝게 빛을 드날리며 같이 밤을 지새우고 있었지만,
등잔불은 결국 긴 밤을 견디지 못하고
기름이 바닥나 마지막 심지를
태우고 있는 것이다.

그 모습이 그녀는 자신의 처지와도 같다고 생각해본다.
기다림에 눈물로 세월을 보내다가
이제는 기다림에도 지쳐 눈물도 말라버리고
울 힘조차 남아있지 않은 것이다.

따뜻한 옷 한 벌 지어 보내고자 하여도
보낼 곳도 보낼 방법도 없는 것이다.

눈물을 흘리고 기다릴 때는
그래도 희망이 남아있었다.
그러나 눈물조차 말라버린 지금,
울음 대신 체념으로 마지막 제 심지를 태우고
사라져가려는 저 등잔불처럼,
한없이 무너져버릴 것만 같은 심정인 것이다.

오늘밤은 저 깊숙이 간직해 두었던
옛날 등잔을 꺼내어 기름을 붓고
심지를 돋우어 불을 밝혀야겠다.
밤새 그 등잔과 함께 임을 그리다가
기름이 다하고 등잔이 심지를 태울 때,
나도 내 애를 끓이며 남은
서러움을 불살라야겠다.
겨울을 준비하는 여인의 다듬이 소리도 처량하지만,
이미 다 지나간 가을의 끝을 놓지 못하고
그 바람과 뒹구는 낙엽의 꿈에 젖어있는 나도
처량하기는 마찬가지이다.

오늘 밤,

순이도 다듬이 앞에 앉아 나를 원망하며

다듬질하고 있을 것이다.

부디 조금이라도 한恨과 원怨이

풀리길 빌어본다.

절대 고독

최해 崔瀣 1287 ~ 1340
〈눈 오는 밤 縣齋雪夜〉

삼 년의 귀양살이 병이 서로 따르니
한 칸 방의 생애 중으로 바뀌었구나.
눈 가득한 사방 산 사람은 이르지 않고
파도 소리 속에서 앉아 등불을 돋우네.

三年竄逐病相仍　　一室生涯轉似僧
삼 년 찬 축 병 상 잉　　일 실 생 애 전 사 승

雪滿四山人不到　　海濤聲裏坐挑燈
설 만 사 산 인 부 도　　해 도 성 리 좌 도 등

최해崔瀣 고려말의 문인으로 자는 언명보彦明父이며 호는 졸옹拙翁이다.
원나라 과거에 급제하여 벼슬을 받았으나, 병을 핑계로 귀국하여 성
균관대사성이 되었다. 성품이 강직하여 출세에 파란이 많았고, 말년
에는 농사를 지으며 저술에 힘썼다고 한다.

고려 말의 학자인 농은農隱 최해의
〈현재설야縣齋雪夜〉이다.
호방한 기상과 재주를 지녀 오만했던 최해는
그 오만으로 인하여 당시 장사감무長沙監務라는
한직으로 쫓겨나 있었다.

궁벽한 곳에서 지낸 삼 년은
자신의 재능과 포부 때문에 말할 수 없이
괴로웠을 것이다.
세상에서 외면당한 그 절망감과 자신의 재능과 포부가
더 이상 쓸모없음에 대한 자괴감으로
잠을 이루지 못한다.
마음이 병들어가니 육신도 아울러 병이 들었고,
나날이 세상으로부터 고립되는 자신의 모습이
마치 세상을 등진 스님의 모습과도 같았다.

사방 산에는 온통 눈이 내려,
그렇지 않아도 고립된 자신을 더욱 고립시키고 있다.
혹시나 하는 마음을 좌절시키며
세상으로부터의 완전한 고립을 나타낸다.
김정희가 제주도에 유배되어 삼 년이 지나자,
친구와 동지들이 모두 연락을 끊었다던가.
유종원이 유주자사로 좌천되자,

모든 산에 새가 끊기고
모든 길에 사람 자취가 사라졌다던가.

시인이 잠 못 이루는 것은
세상으로부터의 고립 때문이 아니다.
김정희도 소나무와 잣나무의 변치 않음에
희망을 나타냈고, 유종원도 차가운 강에
희망의 낚시를 드리우지 않았던가.
이 밤, 온통 눈으로 덮인 세상에서
소나무와 잣나무를 보러 산에 나가볼 것인가
차가워진 강에 나아가 낚시를 드리울까를
고민하는 것은 아닐까.
희망이 있기에 백마 타고 오는 임을 기다리며,
애써 등불의 심지를 돋우는 것은 아닐까.

나도 가끔 그러하니
세상에서 완전히 고립된 느낌을 가진 것이
한두 번이 아니다.
더 이상 쓸모없게 된 것은 아닐까 하는 생각에
잠 못 이루는 날이 많았다.
더구나 세상이 온통 눈으로 덮여버린 날에는

세상으로부터의 철저한 차단에
절대고독에 빠지기도 하였다.

그러나 밤새 자꾸만 꺼지려는
등불의 심지를 돋우는 마음으로,
하얀 눈 속에서 꽁꽁 언 얼음을 깨고
낚시를 드리우는 마음으로
새로운 희망을 꿈꾸었다.
아직도 그곳에서 순이가 기다리는 한
희망을 버릴 수 없기 때문이다.

꿈속의 임

정약용 丁若鏞 1762~1836
〈꿈속에서 만난 임 夢遇一姝〉

눈 덮힌 산 깊은 곳에 한 가지 꽃이
다툼이 붉은 복숭아가 진홍 비단에 감싸여
있는 것과 같구나.
이 마음 이미 금강석과 쇠가 되었는데
가령 풍로가 있다 해도 너를 어찌하겠는가.

雪山深處一枝花　　爭似緋桃護絳紗
설 산 심 처 일 지 화　　쟁 사 비 도 호 강 사

此心己作金剛鐵　　縱有風爐奈汝何
차 심 이 작 금 강 철　　종 유 풍 로 내 여 하

정약용丁若鏞 조선 정조 연간의 문신으로 호는 다산茶山과 사암俟菴과 여유
당與猶堂 등이며, 청년기에 접했던 서학으로 인한 오랜 유배기간동안에
육경사서六經四書에 대한 연구 및 일표이서一表二書 등 500여권에 이르는 방
대한 저술을 남겨, 조선 후기 실학사상을 집대성한 인물로 평가된다.

조선실학을 집대성하고,
정조와 더불어 개혁을 주도한
다산 정약용의 〈몽우일주夢遇一姝〉이다.

문집에는 제목이
〈십일월육일 어다산동암청재 독숙몽우일주
내이희지 여역정동 소경 사이견지 증이절구
각유요요十一月六日 於茶山東菴淸齋 獨宿夢遇一姝 來而嬉之
余亦情動 少項 辭而遣之 贈以絶句 覺猶了了〉이다.
이는 '11월 6일 다산초당의 동암 청재에서
홀로 잠을 자는데 꿈에
한 아리따운 여인이 찾아와 유혹하였다.
나도 감정이 동하였으나,
잠시 후 사양하고 보내며 절구를 주었다.
꿈에서 깨어나니,
오히려 뚜렷하였다.'라고 해석이 된다.

여기서 기구起句의 눈 덮힌 산 깊은 곳은
외진 귀양지임을 암시한 것이고,
'한 송이 꽃'은 꿈속에 찾아온 미인을 암시한 것이다.
승구承句의 '붉은 복숭아가

진홍빛 비단에 쌓였다'는 것은
꿈 속에 찾아온 미인의 아름다움을 표현한 것이다.
전구轉句의 '단단한 금강석과 쇠가 되었다'는 것은
시인 자신의 수양이 이미 외물에 대한
부동심의 경지에 이르렀음을 표현한 것이니,
어떠한 유혹에도 흔들리지 않는
도덕적 완전성을 나타낸 것이다.
결구結句의 '풍로'는 불을 지피거나 잘 타게 할 때
사용하는 바람을 만드는 도구로

정열의 불꽃을 불러일으키는
미인의 교태와 유혹을 나타낸다.
다산이 48세 때인 1809년 11월 6일 밤
유배지인 전라남도 강진군 다산초당 동암 청재에서
홀로 잠이 들었는데, 꿈에 미인이 나타나
오랜 유배에 외로운 그를 유혹하였다.
처음에는 그도 사람이며 남자인지라,
유혹에 감정이 동하여 불꽃이 일었으나,
이내 도덕심을 회복하여 마음을 가라앉히고
돌려보내면서 절구絕句시 한 수를 지어주었다.
꿈에서 깨어나니 그 내용이 뚜렷하여 미인에게
지어준 시를 문집에 기록해 놓은 것이다.

만일 꿈속에
붉은 복숭아가 진홍 비단에 쌓인 것 같은
탐스럽고 아름다운 여인이 나타나
교태와 미소로 유혹한다면,
보통 남자들은 누구나 넘어갈 것이다.
비록 꿈 속일지라도 덥석 손을 잡아끌고
잠자리로 들어갔을 것이다.
그런데 다산은 꿈속임에도 불구하고

손 한 번 잡지 아니하고 그냥 곱게 돌려보낸 것이다.
그도 오랜 유배생활로 엄청 외로웠을 것이고,
또 대단한 미인임에도
끝내 사양하고 거절하며 돌려보냈다 하니
철저한 도덕주의자가 아닐 수 없다.

누구는 다산이
철저한 도덕주의자라서 꿈속에서까지
미인의 유혹을 뿌리칠 수 있었다고 한다.
또 누구는 다산이 꿈속에서도
미인의 유혹을 뿌리친 것은
타협과 운명을 거부한 것이어서,
귀양이 풀릴 수 있는 기회가 여러 번 있었으나
풀리지 않았다고도 한다.

농암農巖 김창협의 〈농암잡지農巖雜識〉에 나온다.
주자朱子가 매일 학문연구에 골몰할 때의 일이란다.
글 뜻이 명료하게 풀이되지 않아서 고심하다가,
문득 잠이 들었단다.
꿈속에서 잠자기 전에 풀리지 않았던 글 뜻이
명료하게 풀리는 것이었다.

아주 기뻐하다가 잠에서 깨어난 주자는
오히려 좋아하기는 커녕,
자신의 정신이 헤이해져 꿈을 꾸었음을
깊이 반성했다고 하였다.
나는 꿈속에서조차 미인이 나타나질 않으니
좋은 것인지 나쁜 것인지 알 수가 없다.
누구는 꿈속에서 미인을 만나면
반드시 품어야 한다고 한다.
누구는 선비라면 설혹 꿈속에서 미인을 만나더라도
거절할 수 있어야 한다고 한다.
미인이 꿈속에 나타나야
품든지 거절하든지 할 것이 아닌가.
그리운 순이 마저 한 번도 나타나질 않으니
정신수양이 주자의 경지에 이른 것일까.
오늘밤은 굳이 순이가 아니더라도 꿈속에
미인이 나타나길 기대하며
억지 잠을 청해 본다.

깊은 밤

이우 李堣, 1469~1517
〈우계 동헌에서 羽溪東軒韻〉

눈이 창틈으로 몰아치니 등불은 밝음이 사라지고
달은 소나무 그림자에 걸려져 서쪽 처마에 흔들린다.
밤이 깊어서야 산바람이 지나감을 깨달으니
담 밖에는 사각대는 대나무 소리가 있구나.

雪逼窓虛燭滅明　　月篩松影動西榮
설 핍 창 허 촉 멸 명　　월 사 송 영 동 서 영

夜深知得山風過　　墻外蕭騷竹有聲
야 심 지 득 산 풍 과　　장 외 소 소 죽 유 성

이우李堣　조선 중기의 문신으로 자는 명중明仲이고 호는 송재松齋이며 이
황의 숙부이다. 문장이 맑고 전아典雅하다는 평이 있으며, 특히 시에 뛰
어나 산천의 명승을 읊은 것이 《관동록關東錄》과 《귀전록歸田錄》에 전한다.

조선 전기의 문신으로 퇴계 이황의 숙부인
송재松齋 이우의 〈우계동헌운牛溪東軒韻〉이다.

갑자기 내리는 눈은 창문을 두드리며
거세게 휘몰아친다. 창틈으로 스며드는 눈발에
등불도 가물거리고 있다.

그래도 밤이 되자, 언제 그랬냐는 듯이
달이 떠올랐다. 밝은 달빛은 소나무 가지를
사이에 두고 창문에 비치고 있다.

그 아래 쌓인 하얀 눈으로 온 세상은 하얗다.
달 그림자는 소나무 가지에 체로 걸러져
서쪽 처마 밑에 흔들리는데,
밤이 깊어 사방이 고요하니
담으로 둘러쳐진 대나무가 지나가는 바람소리에
흔들리며 사각대는 소리가 들린다.

어느 시인은 그랬다.
나무가 무정하니 바람만 슬프다던가.
무정한 바람에 사각대는 소리를 내는 대나무는
또 무엇이 그리 서러운 것일까.
창에 부딪치는 싸락눈 소리.
창틈 사이로 가물거리는 등불.
춤을 추듯 흔들리는 대나무 그림자.
바람의 사각대는 고저장단.
마치 악단의 합주처럼 운율이 있다.

저 촘촘한 솔잎 체로 걸러진 것은
달빛 그림자인지 소나무 그림자인지.
달을 그리려면 구름을 붉게 그린다든가.
소나무 가는 잎 사이사이 달빛이 영롱하다.

추녀 밑을 은막 삼아 펼쳐지는 자연의 영상이
또 다른 감회를 자아낸다.

이때 담 밖에서 들려오는 바람 소리.
바람 소리인가. 대나무 소리인가.
사각대며 흔들리는 소리가 제법 장단을 맞추고 있다.

바람이 지나가는 모습은
풀잎 위에서나 볼 수 있다 했던가.
저렇게 대나무 끝에서도 흔들리는데.
무정한 대나무에 바람은 또 얼마나 슬퍼하려는가.
저 머물지 못하고 가야 하는
뜨내기 나그네는 또 얼마나 아쉽겠는가.

오늘 밤, 바람 소리는 쓸쓸하기만 하고
왠지 나는 자꾸만 재촉하는 세월에 쫓겨 서글퍼지니,
가슴 속이 아련한 것이 고이 잠들기는 틀렸나 보다.
고향 집 주변에 심어진 대나무 그림자 흔들리고
바람이 사각대는 밤이면,
혹시 나를 부르는가 하여 몇 번이나 나가 보았던가.
순이도 지금 그러고 있지 않을까.

고향 생각

이안눌 李安訥, 1571~1637
〈집에 보내는 편지 寄家書〉

집에 보낼 편지에 괴로움을 말하고자 하여도
흰 머리 어버이로 하여금 근심케 할까 두렵다네.
그늘진 산 쌓인 눈이 깊이가 천 장인데
문득 올 겨울은 봄과 같이 따뜻하다 아뢰네.

欲作家書說苦辛   恐敎愁殺白頭親
욕 작 가 서 설 고 신   공 교 수 살 백 두 친

陰山積雪深千丈   却報今冬暖似春
음 산 적 설 심 천 장   각 보 금 동 난 사 춘

이안눌李安訥　조선 중기의 문신으로 자는 자민子敏이고 호는 동악東岳이
며, 시문에 뛰어나 이태백에 비유되었고 글씨에도 뛰어났다.

조선 인조 때의 대신인
동악東岳 이안눌의 〈기가서寄家書〉이다.
시인은 평생 당나라 시인이며 중국 최고의 시인인
두보의 시를 일만삼천一萬三千 번을 읽었다고 한다.
위 시는 그가 함경도 북평사의 벼슬을 살러
북방에 가 있을 때,
집에 편지를 보내면서 지은 것이다.
기구起句의 '가서家書'는 집에 보내는 편지이다.
승구承句의 '교敎'는 '~로 하여금'이란 뜻으로 쓰였고,
'수살愁殺'은 '대단히 근심하게 하다'란 의미인데
'살殺'은 조사이다.

《문집》에 보면, 집에서 온 편지를 받고 지은 시가
위 시 바로 앞에 실려 있다.
지난해 집에서 보낸 편지와 겨울옷을
해를 넘겨받았는데,
아내는 남편이 변방에서 고생하느라
야윈 것을 모르고
옷을 예전 치수에 맞추어 지어 보낸 까닭에
헐겁기 그지없다고 하였다.
따뜻한 남쪽 고향을 떠나,

그야말로 북풍한설이 몰아치는 낯선 변방에서
키를 넘게 쌓이는 눈과 혹독한 추위 속에서 보내는
겨울은 참으로 견디기 힘든 고난의 나날이다.
그 때문에 몸도 나날이 야위어져
예전 옷들이 헐거워질 정도였다.

이러한 괴로움을 편지로 쓰고 싶지만,
그렇지 않아도 변방에 자식을 보내 놓고
걱정하실 늙으신 부모님이 떠올랐다.

그래서 결국은 올겨울은 봄처럼 따뜻하다고
거짓말을 적고 말았다는 것이다.
늙은 부모님을 생각하는 자식의 효심에
가슴이 뭉클하다.

나는 도시에 나가 공부를 한답시고
어려서부터 어머니를 떠나 살았다.
또 학교를 졸업하고도 직장생활을 한다고
어머니와 같이 산 적이 없었다.
가정을 꾸리고는 자식들 교육 때문이라며

226

역시 서울에서 생활하고
고향에 가는 것을 소홀히 하였다.
어머니는 젊어서 남편을 잃고
평생을 자식들을 위해서 사셨다.
나는 어머니를 위해서 무엇을 했던가.
내가 어머니가 근심할까 두려워
무엇을 해 보았는가.
다만 늙으신 어머니가 오래 사시기를
바랄 뿐이었다.

오늘 밤,
달을 보며 고향을 생각한다.
그 그리운 어머니 대신 자꾸만
순이 얼굴이 떠오르는 건
아직도 내가 철이 없는 까닭일 것이다.
하얗고 둥근 달이 어머니 얼굴 같기도 하고
순이 얼굴 같기도 하여,
하얀 눈물이 흐르는 것을 알지 못하였다.
당나라 맹교의 말처럼,
자식이 어찌 봄 석 달의 따뜻함으로
어머니의 사랑을 표현할 수 있겠는가.

나그네 시름

장계 張繼, 생몰년 미상
〈풍교에서 밤에 묵다 楓橋夜泊〉

달 지자 까마귀 울고 서리는 하늘에 가득한데
강가의 단풍 고깃배의 불 근심을 마주하고 잠이 든다.
고소성 밖 한산사
한밤 종소리만 나그네 배에 이르는구나.

月落烏啼霜滿天　　江楓漁火對愁眠
월 락 오 제 상 만 천　　강 풍 어 화 대 수 면

姑蘇城外寒山寺　　夜半鐘聲到客船
고 소 성 외 한 산 사　　야 반 종 성 도 객 선

장계張繼 당나라 때의 시인으로 오직 이 시 하나로 후대에 이름을 남
겼다.

중국 성당盛唐 때의 시인인
장계의 〈풍교야박楓橋夜泊〉이다.
장계는 생몰生沒 연도도 불분명할 뿐 아니라
그다지 알려진 시가 없는데,
오직 이 한 편의 시로 대시인의 반열에 올랐다.

이 시의 배경은 강소성 소주이다.
시에 등장하는 한산사는 이 시로 인하여
유명한 절이 되었다고 한다.

풍교와 강촌교 사이에 배가 이르렀을 때,
이미 밤이 깊어 배 안에서 잠을 청할 수밖에 없었다.
사실 시인은 과거에 세 번이나 낙방을 하고
고향에 돌아가는 길이었다.
마침 까마귀는 을씨년스럽게 울어 대고
서리는 하늘에 가득 차 내리고 있다.

눈에 보이는 것은
희미한 강가의 단풍과 고깃배의 불,
나그네는 온갖 근심에 쌓인 체 잠이 든다.
이때, 저 멀리 고소성 밖 한산사이던가.
은은한 종소리가 자장가인 양
나그네의 마음을 다독인다.
칠흑같이 어두운 밤, 고기를 잡는 배의 불빛에
강 언덕 단풍이 희미하고,
강물은 붉은빛으로 물들어간다.
강소성 소주, 풍교와 강촌교 사이,
한산사인지 종소리 은은하게 들려오는 소리에
나그네 가득 찬 시름이 녹는다.

송나라 때는, 이때 시인이 들었던 종소리가

한산사의 것인지 논쟁이 벌어져,
실제로 한산사의 종소리가 풍교에까지 들리는지를
시험해보았다고 한다.

오늘 밤,
나는 비록 한산사의 종소리를 들을 수는 없지만
혹시 바람결에 임의 소식을 들을까 하여,
밤을 새우며 귀를 기울여본다.

사람의 길을 찾아 떠나온 날들,
돌아보면 아득하기만 한데 아직도 멀기만 하다.
세월은 자꾸만 나를 저버리니
비록 맑고 착한 남자가 되었으나,
나그네 신세로 오늘은 어디를 헤매일까.
언젠가 그곳, 순이가 기다리고 있는
거기에서 웃을 수 있으리라.

기다림

유종원 柳宗元, 773 ~ 819
〈눈 내리는 강 江雪〉

천 산엔 새 날아다님 끊기고
만 길엔 사람 자취 사라졌구나.
외로운 배 도롱이 삿갓 쓴 늙은이
차가운 강 눈 속에서 홀로 낚시질하네.

千山鳥飛絕　　萬徑人踪滅
천 산 조 비 절　　만 경 인 종 멸

孤舟蓑笠翁　　獨釣寒江雪
고 주 사 립 옹　　독 조 한 강 설

유종원柳宗元 중국 당나라 때의 시인이며 문장가로 한유와 더불어 고문
운동을 펼쳤으며, 당송팔대가의 한사람으로 일컬어진다

한유와 더불어 중국 최고의 문장가로 평가되는
당나라 유종원의 〈강설〉이다.
유종원은 젊은 시절, 왕숙분과 더불어
귀족과 환관들에 대항하여 개혁을 펼쳤다.
그러나 개혁을 지지하던 순종이 병으로 죽고

헌종이 즉위하자,

수구 관료들과 환관들에게 밀려나,

왕숙문은 처형당하고 유종원은 한직인

영주사마永州司馬로 좌천되었다.

이때가 유종원이 33세였고,

10여 년을 영주에 머물다가 유주자사柳州刺史로

더욱 멀리 좌천이 되자 견디지 못하고

얼마 있지 않아 47세로 생을 마감하였다.

이 무렵, 영주와 유주에서 쓴《산수유기山水遊記》는

중국 최고의 작품으로 평가받는다.

기구와 승구의 '천千'과 '만萬'은,

한자에서 십의 배수인

십十과 백百과 천千과 만萬 등은

현대적인 숫자의 차이보다는 많다는 의미로

거의 동일하게 쓰인다.

예를 들면,

'십중팔구十中八九'나 '백발백중百發百中'

또는 '천자만홍千紫萬紅' 같은 경우,

십과 백과 천과 만은 모두 그냥 '많다'는

의미로 쓰이고 있다.

전구의 '사립蓑笠'은 도롱이와 삿갓으로

주로 비나 눈을 피하는 도구이다.

새도 끊기고 사람도 끊겼다는 것은

완전한 고립을 의미한다.

중앙관직에서 변두리의 한직으로 밀려났다는 것은

이미 권력을 잃어버린 것이고,

다시는 희망이 없다는 것을 의미한다.

그래서 사람들뿐만이 아니라

온 세상으로부터 고립을 당한 것이다.

천千에서 만萬으로 나아간 것은

점점 고립되는 모습을 나타내기 위한 것이다.

이 시를 쓴 영주 시절은 유종원이 30대일 때이니,
전구의 '옹翁'은 좌절과 고통으로
피폐해진 모습을 표현하려 한 것이고,
'사립簑笠'은 비난과 냉대를 막기 위한
자신의 마음가짐으로 볼 수 있을 것이다.
'고주孤舟'는 개혁을 통한
이상세계를 꿈꾸며 나아가는 모습으로,
외롭고 험난한 길임을 나타내고자 한 것이다.

결구의 차가운 강 눈 속에서
홀로 낚시질하는 모습은,
흔히 한 폭의 아름다운 그림으로 보기도 하지만
이는 마치 강태공이 곧은 낚시를 드리우고
세상을 낚으려는 모습과도 같으니,
끝내 희망을 잃지 않고
그날을 기다리는 모습인 것이다.

나도 그러하니
부귀와 영화만을 중시하는 세상에서,
맑음을 이야기하고 사람의 길을 찾고자 함이다.
항상 외롭고 외면당하는 현실에서

때로는 좌절하기도 하고
때로는 방황하기도 하지만,
그래도 멈출 수 없는 것은
아직도 순이는 기다리고 있을 것이고,
누군가는 나를 위해
밤새 등불을 밝히고 있으리란 확신 때문이다.
눈 덮인 길에 비록 나 하나의 발자국이라도
남기고자 하는 것은
뒤에 오는 동지를 기다리며
조금이라도 도움이 되고자 함이다.

또 한 해를 보내며

손필대 孫必大, 1599년 ~ 미상
〈해 지킴 守歲〉

차가운 서재 외로운 등불 앞에서 새벽을 맞이하고
남은 해를 전별하며 끝내려니 암울함에 마음이 아프네.
마치 강남에서 나그네 되었던 날
석양 정자 가에서 임을 전송함과 같구나.

寒齋孤燭坐侵晨　餞罷殘年暗損神
한 재 고 촉 좌 침 신　전 파 잔 년 암 손 신

恰似江南爲客日　夕陽亭畔送佳人
흡 사 강 남 위 객 일　석 양 정 반 송 가 인

손필대孫必大 조선 중기의 문신으로 호는 세한재歲寒齋이며 시문에 능하였다.

조선 선조 때의 시인인
세한재歲寒齋 손필대의 〈수세守歲〉이다.
'수세'는 섣달그믐 제야에 콩기름으로 등불을 밝히고
온 밤을 지새우는 풍습으로 '해 지킴'이라고도 부른다.

기구起句에서 '침신侵晨'은
새벽에 가까이 다가가는 것이고,
승구承句의 '전파餞罷'는 전별하며 끝내는 것이며
'손신損神'은 머리나 마음이 아프다는 표현이다.
결구結句의 '가인佳人'은 아름다운 사람을 뜻하니
곧 뛰어난 여인을 가리킨다.

당나라 시인 이백은 〈춘야연도리원서春夜宴桃李園序〉에서
천지를 만물의 역려逆旅라고 했다.
'역려'란 먼 길을 가는 나그네가
잠시 머물러가는 곳이니,
세월 속에서 잠시 머물렀다 가는 인생이
바로 나그네이고 이 세상이 바로 역려인 것이다.
때문에 고인들이 밤에 등불을 잡고
노닌 것이라고까지 하였다.
사람에게 있어

가장 소중하고 친밀한 동반자가 세월이니,

우여곡절을 함께 한 일년을 보내는

그 마지막 날의 마지막 시간은

그 애착과 석별惜別에서 특별한 의미가

있을 수밖에 없을 것이다.

그 옛날 전성시대
강남에서 나그네로 노닐던 시절, 석양에 누각 가에서
사랑하는 임과 이별하던 때의 서러움과 아쉬움이,
바로 오늘 또 한 해를 보내는 심정과 같은 것이다.

이제 또 한 해가 저물어간다.
어떤 가수는 떠나는 임보다
가는 세월이 더 아프다고 노래하였다.
옛날 사랑하는 임과 이별할 때 얼마나 아팠던가.
온 세상의 슬픔이 모두 나에게 온 듯
하늘이 무너진 것처럼, 큰 산이 무너진 것처럼,
그렇게 밤을 새우며 괴로워했었다.
이제는 아스라한 추억이 되어 다만 아련할 뿐이다.

가는 세월 가는 시간이 안타까워
잠도 못 자고 등불 밝히고 밤에 노닒이여.
오늘 밤도 남은 시간을 안타까워 하노니,
새벽까지 차마 잠들지 못하리라.
순이도 저 하늘가 근심 어린 마을에서
잠 못 들며 내 생각하려나.

계절의 흥취

도잠 陶潛, 365~427
〈사계 四時〉

봄물은 사방 연못에 가득차고
여름 구름은 뛰어난 봉우리에 많구나.
가을 달은 밝은 빛을 드날리고
겨울 고개는 외로운 소나무를 빼어나게 하네.

春水滿四澤　　夏雲多奇峯
춘 수 만 사 택　　하 운 다 기 봉

秋月揚明輝　　冬嶺秀孤松
추 월 양 명 휘　　동 령 수 고 송

도잠陶潛 동진東晉 사람으로 자가 연명淵明이어서 흔히 도연명陶淵明으로
불리어진다. 호를 스스로 오류선생五柳先生이라 하였으며, 대표작으로
는 구차함 때문에 팽택현령을 그만두고 집으로 돌아가며 지었다는 〈
귀거래사歸去來辭〉가 있다.

중국 최고의 자연시인이고,
동진 사람인 도잠의 〈사시四時〉이다.
도잠은 자가 연명淵明이어서
도연명陶淵明으로 많이 불리어졌고,
팽택령彭澤令이 되었으나 80여 일 만에
'귀거래사'를 읊조리며 벼슬을 떠나
전원생활을 즐겼다고 한다.
이 시는 인구에 회자되어 사계절의 특징을
 가장 잘 표현했다고 평가된다.

봄에는 겨울동안 얼어붙었던 만물이
따스한 봄기운에 녹아내리니,
때문에 시냇물 또한 졸졸졸 흘러내려
계곡을 따라 흐른다.
또한 여기저기 연못에도 물들이
때로는 흘러넘치고 때로는 가득차서 넘실거린다.
이 물로 인해 풀과 나무들도 싹을 틔우고
생명력을 갖게 되니, 봄을 대표하는 정경이라고
아니할 수 없을 것이다.

여름에는 비도 많고 구름도 많다.

그런데 '구름 때문에 기이한 봉우리가 많다'라고
한다면, 이는 산중턱에 구름이 걸려있다는 의미이니
운율이 부족한 산문이며 너무 평범해진다.
때문에 '여름 구름은 뛰어난 봉우리에 많구나.'라고
표현해야 하는 것이다.
그래야 여름 구름은 아무 봉우리에나 걸리는 것이

아니라, 반드시 봉우리가 뛰어나야만 걸린다는
의미가 되어, 문학성과 예술성이 가득한 시가 되며
생명력이 살아나는 것이고, 또한 기구起句와도
 대우對偶를 이루게 되는 것이다.

가을에는 바람과 물과 하늘과 구름과 나뭇잎 등
모든 것들이 뛰어나게 되지만, 밝은 달만한 것이 없다.
달빛 아래에서 모든 자연들은 더욱 빛나기 때문이다.
가을달이 그 빛을 드날릴 때, 강물도 하얗게
빛을 발하고 그 위를 지나는 바람도 색을 가지며,
파란 하늘도 하얀 구름도 그 색이 뛰어나게 되는 것이다.
또한 나뭇잎들이 빨갛게 또는 노랗게 물들어감도
달빛이 없다면 어떻게 밤에 빛날 수 있겠는가.

겨울에는 추위와 얼음이 그 빛을 발하지만,
하얗게 눈이 내려온 세상을
하얗게 만드는 것보다 더 아름다울 수는 없다.
그런데 '겨울 고개에 외로운 소나무가
빼어났구나.'라고 한다면, 이는 고개 위에
소나무가 크게 자라있는 모습인 것이다.
또한 시인이 말하고자 했던 의미도 반감되고 말며

전구轉句와 대우對偶도 이루지 못한다.

때문에 역시 평범한 문장이 될 뿐이고

문학성도 사라져 시가 되지 못하는 것이다.

공자께서 말씀하셨다.

歲寒然後知松栢之後彫也
세 한 연 후 지 송 백 지 후 조 야

세월이 차가워진 뒤에야 소나무 잣나무가

늦게 시듦을 안다.

눈으로 하얗게 덮인 겨울 고개에
우뚝 선 소나무와 잣나무가 모두가 눈 덮인 세상에서
자신의 모습을 드러내게 되는 것이니,
눈으로 덮인 고개가 아니면
어찌 외로운 소나무가 세상에 드러날 수 있겠는가.
추사 김정희는 제주도에 옮겨 유배되자,
세상 모두가 외면함에도
제자인 이상적이 변치 않음을 보고,
〈세한도歲寒圖〉를 그려 공자의 이 뜻을 표현하였다.

옛날 선인들은 '시를 짓는 것보다
시를 해석하는 것이 어렵고, 시를 해석하는 것보다
시를 이해하는 것이 어렵다.'고 하였다.
이는 해석과 해설의 어려움과 중요성을 말한 것이다.

오늘 차가운 밤바람 속에서
송백松柏과 같은 친구를 생각해보다가,
아직도 나를 기다리는 순이 생각에 눈물이 고인다.
소나무와 잣나무에 눈이 내려
그 가지가 늘어진 모양을 그려보다가, 그만 눈처럼
마음이 내려앉고 말 것만 같아 눈을 감았다.